国家出版基金项目
NATIONAL PUBLICATION FOUNDATION

《三联经典文库》

第二辑

2012年国家出版基金项目

三联经典文库

180

罗斯福总统传

C. Mackenzie 著 张尚之 译

生活·讀書·新知 三联书店

图书在版编目(CIP)数据

罗斯福总统传 / C. Mackenzie 著 ;张尚之译.
-- 北京 : 生活·读书·新知三联书店，2014.1
（三联经典文库第二辑）
ISBN 978-7-108-04686-4

Ⅰ. ①罗… Ⅱ. ①麦… ②张… Ⅲ. ①罗斯福，F.D.
（1882～1945）– 传记 Ⅳ. ①K837.127=5

中国版本图书馆CIP数据核字(2013)第246631号

180 罗斯福总统传

责任编辑 邵慧敏
封扉设计 蔡立国
责任印制 宋 家
出版发行 生活·讀書·新知 三联书店
(北京市东城区美术馆东街22号)
邮 编 100010
经 销 新华书店
印 刷 北京鹏润伟业印刷有限公司
版 次 2014年1月北京第1版 2014年1月北京第1次印刷
开 本 787毫米×1092毫米 1/32 印张 11.375
字 数 160千字
定 价 42.00元

《三联经典文库》出版缘起

适逢生活·读书·新知三联书店八十华诞，为弘扬传统，接续文脉，回报读者，服务社会，我们决定策划出版《三联经典文库》。

1932年7月，生活书店在上海创办，此后，读书出版社和新知书店相继成立。本文库第一辑、第二辑所选图书，来自于这三家出版单位及其分支机构，以及1948年生活·读书·新知三联书店成立后的出版物，始于1932年，截至1951年，两辑各一百种。此为第二辑，涉及政治、经济、社会、军事、思想文化诸领域，涵盖专著、文集、散文、小说、诗歌、传记、报道等体裁，既有直面现实、追求真理、讴歌真善美、抨击假恶丑的原创作品，又有引介世界各国先进文化、传播新知、开启民智的逐译之作，真实记录了那一代知识分子的思考与探索、理想与愿景和对中华民族文化传承与创新所做出的努力与贡献。

本文库所辑入各书，多为名家名作，在版本方面，以初版一印本或经著译编者审定、修订、增订过的版本为首选，因此本文库又具有较为珍贵的版本价值和收藏价值。

本文库还将编选续辑，使之成为恢弘文化工程。诚挚希望读者给予批评和指正，帮助我们完善编选工作，再现三联经典作品之风采。殊为遗憾的是，由于年代久远，一些原著译编者及其后人未能取得联系并奉付稿酬，诚盼版权所有者与我们联系。祈愿三联前辈所创造的精神财富能薪火相传，为中华文化的伟大复兴增光添彩。

《三联经典文库》编辑委员会

2013 年 8 月

凡　例

一、本文库为重排本，由繁体字竖排版改为简体字横排版。

一、以忠实于原作、整旧如旧为编辑原则，对当时使用的专有名词、外文译名，以及民国时期的语言和特色予以保留。

一、原书注释如旧，编者所出的注释，均以“编者注”标明，以示与原书注释的区别。

一、对原书残缺或字迹漫漶之处，以□示代。

一、对繁简文本转换时的“如右”、“见左”一类，对应改为“如上（前）”、“见下（后）”。

一、对原书中各种错讹脱衍之处，直接订正，不再以其他符号标示。

一、对数字、标点符号的用法，在不损害原文语义的情况下，做必要的规范。

一、本文库各书均前插原书书影、原书版权页和文库版“本书出版说明”。

一、本书出版说明的撰写，以客观中立为原则，扼要介绍本书的内容、版本流转、著译编者的情况。

本书出版说明

本书翻译自英国作家 Compton Mackenzie 于 1943 年出版的传记作品 *Mr. Roosevelt*。主要记述了美国第三十二任总统富兰克林·罗斯福（1882-1945）从出生到 1940 年间，其童年、学生时代，以及从政后各个阶段的主要经历和活动，及其与主要家庭成员和相关政治人物之间的关系。柏园受出版者委托，编写了“罗斯福一九四一——一九四五年”和“罗斯福年谱”附于原书之后，对原书未涉及的 1941-1945 年间罗斯福所参与的重要历史事件加以补充，供读者参考。

本书由峨嵋出版社于 1947 年 9 月初版，此次出版即以此为底本。

作者 Compton Mackenzie（1883-1972），出生于英格兰一个戏剧世家，作家、评论家、社会活动家、演员。

曾出版一百多部作品，包括自传、历史、人物传记、文学评论、儿童故事、小说和诗歌等。

译者张尚之，资料不详。

柏园原名陈原（1918-2004），曾任三联书店编辑室主任，历任人民出版社副总编辑、文化部出版局副局长、商务印书馆总经理兼总编辑、国家语言文字委员会主任、中国社会科学院语言文字应用研究所所长、全国术语标准化委员会副主任、中国出版工作者协会副主席等职。曾主持并参与了中国第一次大规模的辞书出版规划的制订，并策划和领导出版了《现代汉语词典》、《汉英词典》、《辞源》等辞书；主持出版“汉译世界学术名著丛书”；《读书》杂志创办者之一；策划并出版《赵元任全集》。著译颇丰，在文化、教育、学术和出版等领域有着广泛的影响。

生活·读书·新知三联书店

2013年8月

峨嵋出版社 1947 年 9 月初版书影

羅斯福總統傳

著作者　C. Mackenzie
翻譯者　張尚之
發行人　方學武
發行者　峨嵋出版社　上海河南路三二八號轉
代發行所　聯營書店　漢口·重慶·成都
特約經售處　利羣書報發行所　上海河南路三二八號

定價　國幣十元正

中華民國三十六年九月初版

S. 1—2000 P. 1—324.　(2)

原书版权页

目次

第一章

传记作家要研究一位伟大人物出生的种种预兆，必须在一八八二年一月三十日富兰克林·台尔阿诺·罗斯福诞生时的世界政治状况中去觅取资料。它们是很清楚的。

> 这一年在德国重复演着无耻的，对犹太人的暴行，这些暴行表示出普鲁士和它那自夸的文明中仍旧保持着古老中古时代野蛮的，不能容忍其他族人民和宗教的精神。

这是《每年纪事》（*Annual Register*）在一八八一年作《德国一瞰》时辟头的一段话。

那年法国占据突尼斯，引起国际间的紧张局面，一八八二年时，俾士麦看到英法为保卫苏彝士运河有占领埃及的可能，因而竭力激起种种困扰，意大利对于大不列颠在突尼斯问题上给她的难堪，很为不快，而“这种不快……使政府和人民都想另外寻觅与国，因此使他们听那些不断鼓吹亲德的人们的言论……把德国当作在欧洲和意大利的利益完全一致的国家看”。

俾士麦就从这种不快事件中锻制出三国同盟。

三四个月之后，甘贝他在法国内阁中曾经批评道：

> 有许多人毫不了解真情，认为有和英国冲突的可能。我以深深自觉到我祖国的利益和幸福的立场来说，同时我深深地相信，而且仔细考虑过未来的形势，我得再度指出：和英国磨擦斗争，是一切冒险中最不该有的举措……那怕出最大牺牲的代价，我们不能摧毁英国同盟……没有它，法国的利益无法维持。如果不幸破裂，在地中海上的一切将完全丧失。

富兰克林·台尔阿诺·罗斯福出世才二十天光景，

史可贝莱夫将军被俄国外交部解差，因为将军在巴黎告诉了一批塞尔维亚学生说条顿和斯拉夫之间不可避免地会发生斗争，而且表白了他愿能和他的听众们在战场上见面共同对他们的敌人作战。“德国人深入并且散布在俄国各地各种事业之中。俄国人是被它政策所愚弄的人，是它阴谋的牺牲品，是它武力的奴隶。”将军在夏季被召回圣彼得堡；他在返国路过华沙时，曾经对一群波兰人说如果没有俄国卫戍兵队在华沙，必将有德国卫戍兵队。这位土耳其战争中的英雄大受圣彼得堡居民们的欢迎；但是他却受了沙皇严重的谴责。但是，尼黑派的思想却“在俄国社会各阶层中有如此惊人的进展”，以致报纸 *Kolnische Zeitung* 在批评允诺制定宪法时认为“沙皇和他的大臣们所专注的大问题不再是如何好好统治，而是如何保持统治权力的问题了。”

富兰克林·台尔阿诺·罗斯福出世前三个月，适值在约克城的康华利斯（Cornwallis）投降百周年纪念。在纪念仪式将终时，美国的陆海军对英国国旗致敬，以“表示在未来年月中两国之间将永远互相信任，和平善意相处”。

这重大而愉快的典礼，正在迦斐尔德总统被芝加哥一个律师所刺这一事件之后举行。这律师妄信“要结合共和党中两派，同时挽救共和国，使它不致转入叛徒和民主党人手中的唯一方法，就是悄悄地移掉大总统。”他用一枝手枪完成这种移掉的工作。这个一心想窃取地盘的人的疯狂举动，使人们更坚决地认为国内政权必须从政党政治的腐化中拯救出来，由此而自然形成一种信仰，认为联邦当局必须为国家的尊严和行政效率而维护自己的立场。当这位婴儿罗斯福才过两个月的时候，他同族中有位激烈的青年正被选入纽约州议会（New York Assembly），开始攻击弹劾法官卫斯特勃洛克，认为他“和杰·高尔特通同受贿，为了财富而滥用他崇高的司法地位”。这位青年就是西沃图·罗斯福。

正当富兰克林·台尔阿诺·罗斯福出世那天，一家大金融行家延期付出款子，引起了欧洲大陆上严重的金融危机。但是并没波及大不列颠。在英国，格莱德史东（Gladstone）先生在他的预算演说中将冬季不敷的八万五千镑用“死亡税”来弥补，这是很新奇的，而在富人们发现了无法将每镑纳五便士的所得税减为四便士，很感不满。

最后还有一件该记录下来的时代征兆，就是当富兰克林 · 台尔阿诺 · 罗斯福出世六星期时，布纳拜（Burnaby）上校带着毯子，一些三明治，几瓶矿质水，驾汽球横过英伦海峡，完成了当时认为很惊人的在二千呎高空每时推进三十哩速度的纪录。

这位美国未来大总统出世年月的前后也许不足以影响他日后的目标；但是这年月却是命运决定他在日后要献身于无数人瞩目的事业上的适当时机。在他这一特定时机中出生的人，没有比他更完备的，这话虽然是在他事业尚未完成时说的，可是作者是由于热烈的信仰所激动，相信未来的一切一定会证实这句话的。

在时间上如此，在空间上也是如此的。命运决定选择这样一个人物在现在正在进行中的人类进化伟大戏剧中担任要角，这要角地位是命定了要美国人——而且要百分之百的美国人来担任的。这罗斯福是道地美国人，我们在此该记住孤立主义乃是一种从下列两种思想中产生出来的见解：一种是种族太接近欧洲的不安感；另一种是地理上距离的安全感。

使罗斯福能认出在国家状态完成的情况下，他的国家不能探取以冷苛，妒忌的独善政治孤立为基础的态度来对付世界其他国家的，正是他那种美国人的作风。他出世时，没有一点血液不是有二百年以上的美国历史的：甚至有比二百年更久远的美国血统。

在欧洲，没有一个城市（甚至威尼斯也计算在内）看来是像安斯达坦（Amsterdam）那样为海水所贯穿纵横着的，悬在深绿色的运河水流两岸的榆树散落着沙沙的叶片，在城中，肥肥的鸥鸟像农家饲养的鸭子似的，懒洋洋地浮在池沼中。当安斯达坦商会还在经营在大西洋彼岸新建立的新荷兰省份时，已经建立起来的仓库还在这些运河两岸装卸货物。在曼哈丹（Manhattan）的小岛被名为新安斯达坦是很恰当的，因为它也被海洋所纵横，那里，古老的建筑还沉缅在旧日的迷梦中。

大约是在十七世纪初叶的时候，有一位叫克拉埃斯·马丹仁（Claes Martenzen，尼古拉斯·马丁 Nicholas Martin 之子）的青年柴兰德（Zealand）人，从安斯达坦或者另一个荷兰港埠动身，离开罗斯维尔特（Rosevelt——意为玫瑰田）小村庄到新世界去。他的儿子尼古拉斯出生在曼哈丹一个田庄中，他有两个儿子，约翰尼斯（Johannes 小名约翰）和杰可伯斯（Jacobus 小名詹姆斯）。西沃图·罗斯福是他们两人中年长一位的后代，富兰克林·台尔阿诺·罗斯福是弟弟的后代。我们该注意当初柴兰德那个小村庄的名称在今日罗斯福的姓中还保持原来的读音——读 Rose-，不是 Roos-。兄系中保持它荷兰血统年代较弟系为久。西沃图·罗斯福的祖父，考尼留斯·梵·史查克·罗斯福（Cornelius Van Schaak）是纯粹荷兰血统。他第五代堂兄弟富兰克林的祖父伊萨克（Issac）·罗斯福主要是英国血统，远系血统中混合着荷兰，瑞典，德国和法国的混杂血液。

荷兰和英国在美洲的对立和嫉恨非常之深。新安斯达坦在开轫时即被认为是公开的地方。事实上，当一六五三年传说克伦威尔准备率远征军来攻该地时，横过曼哈丹，立刻建筑起防守工事来，这种工事到现在还为华尔街上所纪念着，但是当却理士二世任命他的兄弟约克和阿尔巴奈侯爵为康乃克的克特河（Connecticut）和第拉瓦湾（Delaware Bay）以东地区间的皇室土地宗主（Lord Proprietor）时，侯爵的代表和统治人，理查图·尼可尔斯（Richard Nicolls）上校却发现新安斯达坦的人民首领和其他显要居民是协助他的第五纵队，从荷兰手中将吏治机关很巧妙地转入英国手中。荷兰的私人权利仍旧被尊重。新荷兰和新安斯达坦乃成为纽约州和纽约市。赫德逊河上的奥兰琪堡（Fort Orange）乃一变而成了阿尔巴奈堡（Fort Albany）。这一事件的真实一面乃是早在十七世纪初，荷兰人和英国人都被决定着要成为美国人了。

在革命爆发时，伊萨克（富兰克林·D. 罗斯福的高祖父）是纽约城中一位有地位的公民，一位糖商。他被选为州议会的议员，在独立斗争中积极地活动过。当纽约被红衫军所占时，伊萨克·罗斯福放弃了城中的财产，迁移到荷兰郡，在那儿他服役于荷兰军第六师中。一七七七年至一七八三年，他是纽约州参议员之一，他是在一七八三年十一月二十五日欢迎华盛顿率领部下从波威雷进入纽约的公民之一，那时，英国狮旗被降下来，星条旗开始飘荡了。

伊萨克·罗斯福的儿子詹姆士和玛利亚·爱丽莎·华尔顿（Maria Eliza Walton）结婚，她是大商人兼船公司土人阿伯拉罕（Abraham）·华尔顿的女儿。伊萨克·罗斯福除了其他活动外，还任过纽约银行的总理。他是十足的商人。他的儿子詹姆士还是一位商人；不过也许在独立战争中从纽约退居荷兰郡的机遇使他体味到乡村生活的况味。总之，他出售了在哈冷（Harlen）那儿一块一世纪后可以作为招致巨富的基础的土地，在阿尔巴奈邮街（Post Road）建了一座屋子。詹姆士的儿子伊萨克和玛丽·李培卡·阿丝滨华尔（Mary Rebecca Aspinwall）结婚。伊萨克的儿子詹姆士，就是富兰克林的父亲，生于一八二八年，先和一位霍兰女士结婚，生子为詹姆士·罗斯福·罗斯福（James Roosevelt Roosevelt）。未几，他的妻子去世，阿尔巴奈邮街的屋子也遭焚毁。

詹姆士·罗斯福仍旧是一位纽约商人；但是他的心却依恋着乡村；于是，当有人出售纽约郊外那片美丽的，靠赫德逊河，在海德公园（荷兰郡中）里的田庄和古老殖民时代的农舍时，他马上买下那五百亩地，渡着乡下绅士的生活，他那时有不变的投资和一些指使的权柄，可以无愁地生活。他在农舍旁加了一排房屋，开始经营，使农场可以生产维持。五十二岁时他和沙拉·台尔阿诺（Sara Delano）结婚。富兰克林的母亲是华伦·台尔阿诺（Warren Delano）五位美丽姑娘中的一位，这位新娘比丈夫小二十六岁，她的美国血统较他远久。

一六二一年，由一对法国人养育于莱顿（Leiden）的菲力浦·台尔阿诺依（Philippe De Lannoy）搭一叶小舟到了麻省的柏雷茅斯（Plymouth），和开拓者们同谋前程。他的儿子裘纳丹（Jonathan）和大契约（the Compact）签字人之一，李嘉图·华伦（Richard Warren）的女儿缪珊（Mercy）结婚。李嘉图·华伦的妻子带了他们五个女儿在一六二三年抵柏雷茅斯，比他多活四十余年。这位出色的女人在七十岁时，依然不顾当时非议守寡之风，坚毅地保住她寡妇的节操，开始收买土地。一六二三年，她的墓志上这样刻着："密斯特理丝·伊丽沙白·华伦，一位九十左右的高年寡妇，过了很安适的生活，像熟透了的谷粒似的来到她的坟中。"

台尔阿诺家是船主人和商船水手，富兰克林的外祖父是来往中国经营商业的。沙拉·台尔阿诺在生子前二十年时，曾经搭一艘茶船到过中国，她有一位漂亮，为她所敬爱的叔父，叫富兰克林，她以此名她自己的儿子。

如果不是詹姆士·罗斯福夫人下了决心要命自己儿子的名字叫富兰克林·台尔阿诺，那么他也许会按照罗斯福家中命名循环的习惯，被命名为伊萨克了。他之没有被名为伊萨克，难免不令人稍感遗憾。这名字可以在等待着希特勒的那种诗意的正义上，多增加一分情趣。

在富兰克林·D. 罗斯福以前的美国大总统中，只有五位是有开拓者（Pilgrims）的血统的，西沃图·罗斯福并不在其中。很多书本中记载着他那些开荒的祖先们的故事，他们在故事中都显示出他们最初离开欧州，到新世界上一个新国家中来时那种兴奋情绪所激发的充沛精力。他们之中没有一个如慧星似的出人头地，但在另一方面，他们无论在体力和智力方面，都没有衰退的情形。那种作为未来尊贵家族的试金石的活泼生活力，始终是被保持而传授着的。这种生活力是美国血统的特征；我们可以在英国的例子中，看到这种潜力如何地重新奋发起日渐衰落的尊贵家族。温斯顿·邱吉尔先生所以有代表并且表现英国精神的能力，原因也许不在他是马尔波罗夫（Marlborough）的后代，而是在他有一位美国母亲，这说法已有时间作证。伦道尔夫·邱吉尔

（Randolph Churchill）爵士能用语言来攻击别人，但是使邱吉尔先生能辱骂墨索里尼为鬣犬，骂希特勒为渴血狂的，不是那种勃冷希姆（Blenheim）的作风，而是曼哈丹的派头。祖父李奥那图·杰罗米（Leonard Jerome）的精神鼓舞了温斯顿·李奥那图·斯宾塞·邱吉尔。勃冷希姆也许给予了清朗的时期：但给他们生命的却是纽约路边的生气。当邱吉尔先生说墨索里尼呼气中迷漫着吃死人肉的臭味时，那个小小的意大利牛蛙反过来叫着说邱吉尔先生呼气中满是酒精和尼古丁的气息，这种反骂所引起的勉强的微笑是以美国胡桃树作骨架的，它和英国橡树无关。邱吉尔先生这种使我们感到活跃有生气的攻讦他人的返老还童良药，是波那·劳，包尔温，兰珊·麦唐纳，或者乃维尔·张伯伦所制造不出来的。它们是矿质清凉剂，不是淡茶，也不是轻淡的印度麦酒。约翰牛（John Bull——即英国）可能不衔烟斗而吸一枝雪茄，但是他并没有把络腮胡剃去而留起山羊式的须髭来。战时的不列颠可以毫无踌躕地由邱吉尔先生来作她外表可见的表记，显示出她要世界上认清她的一切；而世界上各国也就以他为她的代表了。如果说不列颠随邱吉尔先生之起落而起落，这话并不是纯然出于激动而说的，但这话也并不阻止他的赞仰者们，使他们不承认这位英国鸾鸟先生一身羽毛中杂有不少肥胖的美国知更雀的羽毛的事实。

邱吉尔先生的滔滔责难之词，使自命为医者，认为英国绅士们现在不敢发一言之词的希特勒和墨索里尼感到狼狈，罗斯福先生的不能使他们改变对美国的种种无知，不求了解的看法，也使他们感到狼狈。在梦中以他自己的睡衫当古罗马公民外衣的墨索里尼，和在夜晚中醒着和雷电之神交谈的希特勒，他们对美国的认识非常浅薄，这两位学识浅薄的家伙，这两个在历史的大湖水面上浮滑的水甲虫，简直做梦也想不到罗斯福先生的背景。他们不会了解那种道德上显明的超越性所有的静默，简易的臆测。墨索里尼的祖先们摸索在罗马格那（Romagna）沼泽上的热狂迷雾中，希特勒的祖先们摸索在中欧拥挤的尘土堆中。在他们两人看来，美国不过是一片从欧洲破沉的船只上逃出来的一些耗子们的偷生之地，这群耗子在那儿渐渐长肥了：他们全没有把美国当一个国家看待。

他们两人简直不能认出使罗斯福大总统有能力，有权利代表一个觉得有保持欧洲精细的产品使它不致被粉碎的责任的国家说话的背景，乃是他那作为美国人而内涵着的，三世纪以来孕育着的良知。

也许希特勒到底猜测到罗斯福是他主要的对敌。当他用花言巧语声言他在千年之内将领导人类前进时，他也许已经觉得他这种进化计划的真正障碍是两个美国精神。罗斯福先生是否具体代表这种精神呢？这问题的答案正是本书所要探求的。当墨索里尼跳越过“时间的落后深渊”，扮起了凯撒大帝，在阿尔比翁（Albion）的海滩上和一位染成菘蓝色的邱吉尔作战时，那种状况可以使我们发笑。罗斯福和希特勒是在进行一种进化的斗争：他们是为人类的精神而进行战斗。他们几乎同是在一九三三年一月进入决斗场的，这次战争正是他们两种不同的哲学的斗争。这样说也许对希特勒的威严太加夸张；但是他是以日耳曼人来说话的，因此我们也不能轻轻置之一笑。罗斯福和希特勒是为未来而搏斗：邱吉尔有一半（这一半也足够应付他的对手了）是为过去而和墨索里尼在搏斗着的。

第二章

布洛克林桥（Brooklyn Bridge）隐约在旷野上被秋天的夕阳映成一片金黄的烟雾里，桥后，曼哈丹森黑得像一位庞大怪人的堡垒似的矗立着；桥下，漂浮着东河（East River）来往船只的水流，有点像透纳笔下画出的大幅浪漫而神秘的，满是云的舣舟图；到处都是噪杂的闹声，要不是面前的伟大景色，这闹声真令人不耐烦了。

河边车道（Riverside Drive）和赫德逊河对岸尖头铁栅（Palisades）上摇摆的树枝，在十月蓝色的薄暮中闪烁发亮，格兰德（Grant）的坟墓寂静地躺在逐渐浓厚的黑暗中。

西点（West Point）和哈佛的足球场，润湿的落叶散发着英国的气息，古典的小丛林和建筑，在它们周围纡绕着，秋天下午，大家都去运动时带着的那种蕴藏在空洞的牛津学院中的气氛，近旁，宽阔银色的河流在下面流着。

荷兰郡的包甫凯拨西（Poughkeepsie）大街上，行人匆促的来去，从伐沙（Vassar）来的女郎们赶去看戏，宽阔银色的河流在下面流着。

在哥伦比亚州，赫德逊的赶集日，小城市的街道上挤满了农夫们，宽阔银色的河流在下面流着。

多山的阿尔巴奈和庞大的议事堂，还有泰恩·欧克大饭店（Ten Eyck Hotel）和它那略带一点殖民时代古色古香的建筑，还是那条宽阔银色的河流在下面流着。

这些是一九一二年秋天，富兰克林·D. 罗斯福进行选举乌德罗·威尔逊任大总统时，曼哈丹和赫德逊的情形。那年秋天，他和罗斯福夫人在泰恩·欧克大饭店中租定了两间房间，可惜他们没有在这许多纪念品之中，为从那时起，活跃在人们心目中三十余年的赫德逊留一点纪念。作者到包甫凯拨西时，并没有见到海德公园中那座殖民时代的农舍，但是作者至少领略了那条河流和它的乡村所给予一位人物的影响，在这位人物和他的祖先的生活中，这条伟大的河流滔滔地流着。

富兰克林·罗斯福孩提时代非常愉快。他的父亲有点像祖父那样慈祥地爱他，但是并不像祖父那样惯宠他。他母亲正如一般青年母亲那样，非常喜欢她这个可爱可喜的独子。

他母亲曾经讲起一个故事，这故事显示出在一个与外世隔绝而且受仔细拂爱的儿童，有时也会感到压抑。他大约五岁时，有一天，他显得很阴沉，他父母怎样都不能使他高兴。后来，罗斯福夫人非常奇怪地问那个孩子是不是心里觉得不快活。这里用她的话说：

> 他并没有马上回答我，过一会儿，他很正经地说："是的，我不快活。"
>
> 我问他为什么不快活，他又沉默了一会工夫。然后他作了一个表示出烦恼的手势，两手在胸前一拍，说道："噢，为了自由呀！"
>
> 现在说来，当时的情形像是很滑稽，不过那时我真大吃一惊。因为他不过是那么样小的孩子，可是他的声调却使我发现他说这话是非常认真的。（詹姆士·罗斯福夫人作：《我的孩

子富兰克林》——页五）

我们想起宣称人类自它的创造者那里接受了某些不容歧视的权利，其中包括生命，自由，以及快乐之追求等权利的独立宣言，同时又想起一九四一年一月在国会中演说时宣称的四大自由，我们不难想到这位当维多利亚女王五十大庆时还穿着水手装的小孩子说出这样的话，正表示出他有着一种潜在的伟大气质。无疑的，他那时所抱怨的乃是时间，时间的暴君从来不会站在儿童这一边的，而保姆式的许多规则，也常在孩提生活上，投射下牢狱的阴影。在八十年代中，我们在英国的儿童们总以为我们的美国兄弟和朋友们一定比我们自由得多；可是现在我们会感激那一对美国夫妻在富兰克林早年时就以温和而坚决不移的纪律来辅育他，如果他当时没有这种天生的不满情绪，也许我们在半世纪之后的今日，将陷于十分残酷的命运之中了。如果他早年受了严而合理的管束，如果他不浪费零钱，如果有人送了一把枪给他而他知道如何去适当地运用它，如果他知道小狗小马不是一种玩具，而是该由他负责看管的话，这全是他所受的训练合式，使他祖先所传给他的那种超人的活力，得到了最大的成果。只有一个主要的希望是受坚决阻抑的，那就是他想成为水手的企望。他很小时就受着海水的引诱，他倾心于马汉（Mahan）写的：海洋力量对历史之影响。他和一个小朋友在一株长青松顶上造了一只帆船，在它上面过着想像中的航海生活。他开始他的船舶博览室。航行到欧洲，以及他母亲家那种浮海的传统和许多航海故事更加使他对海洋怀念不已。他两岁时就横渡了大西洋，七岁至十五岁之间他每年要在船上过好几个月。有两个夏季他进了贝特·瑙汉（Bad Nauheim）的公立学校，他父亲当时在那儿治病。他也曾经和一位导师乘自行车游历德国和瑞士，他们一天之中有四次被德国警察所捕——一次是为了追一只鹅，一次为了在路旁摘莓子，一次为了带着自行车走过火车站的候车室，最后一次为了在日落后骑车进入斯屈拉斯堡（Strasburg）。他爱好自然史，这种爱好是在伦敦的自然史博物馆的鸟类室中开始被启发了的。这一家人那时还是在梅茵和新勃隆斯威克（New Brunswick）之间未定界区的巴森马可台湾（Passamaquoddy）的坎普贝罗（Campobello）岛的小厦中渡过几个夏季。那种生活更深刻化了他对海洋的怀恋；当他父亲给了他一只二十一呎长的帆船，船上有两个舱和一个中舱（他就在这儿学习一个高明水手所必具的，关于航海所需的学识），于是他更热中于想成水手的希望了。希望并未实现。他的正式教育始于格鲁顿（Groton），而不始于安那坡理斯（Annapolis）。

不论当时詹姆士·罗斯福阻抑他儿子这种希望的动机如何，他这种阻抑在今日总是值得我们感激的。由于一个人在十九世纪最后十年中的一点成见，这件偶然的小事，世界乃得保有自由。事物的结果往往是无法预定的。这一点，当青年富兰克林不到安那坡理斯而到麻省有名的格鲁顿预备学校去时，就足以使我们注意了。英国读者们该知道他们所谓公学者，正是美国人的预备学校，而美国人所谓公学，正是他们所谓的初级学校。正如哈佛和雅礼等于牛津，格鲁顿和圣保罗就等于伊顿和哈罗。

富兰克林·罗斯福入学很晚。他进格鲁顿时实际上已经是十四岁半了。他母亲在回忆他童年时的情形，深以未能早日送他入学为憾，而有人以为反对他从事海上事业的是她和他的父亲，因为那种事业会使他远远地离开她的。

不能早日入学，乃是孩子不时发热生病的结果。他父亲也因为他的病更坚决反对他进安那坡理斯和加入海军。一八九八年二月，西班牙和美国之间的战争因为美国战舰梅茵号在哈伐那港爆炸沉没而更趋激烈。那时西沃图·罗斯福行年三十九，正任第一任麦克金莱（McKinley）政府中的海军助理部长。他在他的上司郎氏（Long）缺勤时，执行部长职权，发电给香港的戴威司令（Dewey），指使他率美国亚洲舰队在一八九八年五月一日摧毁了马尼剌湾内的西班牙舰队。但是西沃图·罗斯福单单拍发行动命令的电报是不够的：他要实际行动，不要空话。一礼拜之内，他辞去了行政职务，开始组织他要在古巴指挥的著名的“怒潮骑士”（Rough Riders）部队。

那时，西沃图·罗斯福对作海军助理部长，管理对内事务还感到厌烦，那么他那位十六岁，当学生的第五代堂弟，在格鲁顿该是觉得如何厌烦呵！对西班牙作战给予美国青年的反响正和次年南非战争引起英国青年的反响一样。我们这些上了六十的英美人士，回想起十来岁时的生活，总觉得那些年月中战争是一触即发的。那种渗合着饱经沧桑之感的辛苦而得到成然的自觉情感完全消散了。真正的战争到底撕毁了我们的幻梦。作传记的人假想十六岁的富兰克林当时的情绪和一般同时的说英语的青年们的情绪一样，这也许不会有什么错误的，而且我们不必再在这些情绪之中，觅取他为何急于加入战争的理由。他和同校中一位朋友听说波士顿方面在招海军志愿人员，决定前去投效。他们和一个面包贩子安排好，这个贩子在一个礼拜天带着他的行当到学校中去，设法偷载他们到最近的车站去，他们希望在学校当局还没有发现他们的去向之前，平安地在波士顿报名投军。这并不是一时突发的冲动。他们已经从经过几个礼拜，所得的款子中储足了这次行动所必须的钱。可是，当他们正要出走的前夜，两个孩子都发疹子了。命运注定了富兰克林·D. 罗斯福要操纵一枝海神手中的三尖叉，但是并不使他在他自己的旗舰上运用它。

值得注意的是在詹姆士·罗斯福夫人关于她的儿子

在学校中生活的回忆记录中，记载着他在格鲁顿快毕业时，在演辩队中非常出风头，他演辩的题目中，有论增强美国海军，有论大不列颠的责任，有保证中国土地主权完整等等。他最后一学期——那是一九〇〇年夏天，他已经十八岁半了——曾经参加失败的一方面进行辩论，主张菲律宾应该获得独立，因为他们已经显示出能运用自治权的能力。两年之后，在英国学校中十八岁的孩子们将要参加失败的一面而辩论，说波尔（Boer）人该获得独立。自由主义之风又抬头了。格鲁顿的孩子们大都来自特殊权益还没有受丝毫损害的集团，它们那时还静如湖水；即使稍加碰触，已经足够引起很大的注意。

一九〇〇年秋季始业时，富兰克林·D. 罗斯福进了哈佛。他的功课不错，游戏运动更为出众，他精神振奋，风采翩翩，亲爱温和，而且很有地位，在大学中非常有出人头地的希望，而他自然也做到了这种地步。最重要的是他在达到这种地步时并没有减削他童年时代的信心。他虽然是一年级足球队中的一员，虽然是一名出色的桨手，虽然按哈佛的传统成了金湾（Golden Coast）的一员，虽然成了大学中八个俱乐部的理事，他却受着同学们的猜疑；就是在今日，当时和他一起的人很少会摇头说富兰克林 · D. 罗斯福当时的绯红色并不是当时他们所认为赤色光彩的阴影。

第一，他是个民主党人。这一点也许可以忽视过去，因为他是来自民主党人的家庭中的。新英格兰人之形成，并不是由于政党的关系，而且这一点，正如在英国的公学中一个自由党人只要他默不作声就会被原谅似的，被他人所宽恕。可是，富兰克林 · D. 罗斯福是一个好斗的民主党人。在第一个秋天，当他的同族西沃图被举为共和党副总统候选人时，作为大学一年生的富兰克林却在拥护从西部来的粗野而近于颠狂的 W.J. 白莱恩（Bryan），连来自乡间的国务卿约翰 · 海（John Hay）都说这人是另一个杰克 · 凯台（Jack Cade）。支援白莱恩为总统候选人，如同支援一个背叛美国的人，因为这人竟敢说压抑菲律宾人的长期战争乃是一个罪恶的侵略战争。

富兰克林 · 罗斯福非但是民主党人，非但是在菲律宾事件中的一个反帝国主义者，而且还是一个亲波尔人者，一个积极的，奔走募款的亲波尔人者。在英国读者看来，这一点在美国很不可能为人反对，但是在哈佛所规定的一切，和牛津或剑桥所定的很少有什么出入，它对南非战争采取严格的保守性的亲英态度。在十九世纪最后一年中为菲律宾人或波尔人说一句好话，在特权阶层的少数人看来，就认为这种人的意见无异是赞成动摇健全而安适的社会的根本基础。富兰克林·罗斯福之同情于波尔人，也许是因为他有荷兰血统的关系；但是如果我们还能记起他在格鲁顿辩论菲律宾未来问题的内容，也许我们会发现他这种态度乃是受那种准备对新世纪有所影响的青年布尔乔亚自由思想所支配的。这是当时全世界都可以看到的一种现象的一部分。

作罗斯福总统传记的一二作者们曾经企图把他青年时代对同时代人们的影响，和邱吉尔先生对他青年时代友人们的影响作一个比较。这两者之间并无并行的事实。罗斯福是个有危险性的青年自由主义者，但是除了意见之外，别人对他的一切并没有任何批评。邱吉尔从哈罗起，一直就和他同时的人们斗争作对，不是因为他的政治意见，而是为了他对自己为人的意见非常地与众不同。他不拘于那种环境中别人所希望于他的行为和举止的标准。这也许是天生的，也许是美国血统的推动。不论它是什么渊源，它总是当时内政和军事上保守思想所反对的东西。他唯一与罗斯福相似之处，就在他们同样地有一种不可阻抑，充沛，不可克服的生活力。当罗斯福还在哈佛的时候，邱吉尔已经在世界各地经过了种种冒险而参与政治了。他已经为自由贸易问题和他的政党争执，但是在名义上他依然是奥特亨（Oldham）的国会保守派议员，而当他最后走过上院的地板而成了一个自由派时，他头脑中并没有一点天生的自由派的思想见地。如果要把一位罗斯福家的人和温斯顿·邱吉尔比较，那还是把他和西沃图·罗斯福相比较来得合理些。他并不是一个自由主义者，他是一个托雷（Tory）派；染沾了一点在托雷派的观点上看来是前进的思想而已，这种思想当然并不一定是前进的。我们现在回顾富兰克林·罗斯福在哈佛时的情形，不难发现他怀抱着一种典型的帕拉图的“空中有什么”的精神；当他进入政治圈内（邱吉尔在一九〇〇年至一九〇四年间已经参加政治活动了）时，他的开拓方法完全和邱吉尔不同，邱吉尔那时穿着一件紧身外衣，演说时非常严正，他那种活泼生辣的精神抓紧了听众，那时他也缺乏滔滔的词令和很好的逻辑，他并不以所说的内容或是说话的态度来使人折服，他那种侵人的样子却令人钦佩。

富兰克林·罗斯福未来的政治观念在他还是大学一年生时已经很明显了，这一点在他组织了非特权的多数人联合对那少数的有权势的候选人们（他自己也是其中之一）进行竞选级中班长和理事等的事件上，已经可以看出。这一件事曾被引来贬责罗斯福，说他很早就有对低级大众发生好感的表现；这一点也很容易使人相信他很早就有社会正义感的表现。研究一下罗斯福的事业，可以知道他要争取群众原不是一件困难的事。我们在一九四〇年黑暗而沉阴的年月中听他的广播演说时，已经不愿相信那些说他不忠实的恶意流言了。他在加强英国人的精神这一工作上的成就，不亚于邱吉尔。而且，世人往往不能了解一个人所以能赢得比他不幸的人们的爱戴，完全是因为他之爱他们，比他之爱他的同阶层的人们更为深甚的原故。罗斯福童年时代遗留的许多逸话，都表明了他有着所谓爱人的天性；当比一般迟缓的学校生活经验加在他身上时，他在童年时代从他敬爱的年长的人们中得到的堆积起来的爱，开始被运用在同时代的，较广泛的青年们之间，最后乃用于一般人的广大世界之中。

罗斯福在哈佛的企望之一就是编《绯红报》（*The Crimson*）。据传说他为想获得加入该报的机会，设法获得西沃图·罗斯福以纽约州长资格在A. 劳伦斯·罗惠尔（Lawrence Lowell）教授的堂上发表演说而且允许事后和他见面的消息。富兰克林在大学二年时成了该报的助理编辑，三年级时任总编辑，一九〇四年毕业班时，任该报总理。本书作者曾经主牛津一报编务，一九〇二至一九〇四年间也在牛津报中，还很能记起富兰克林·D. 罗斯福主持下《绯红报》的赠报的形式，作者可以证明它是张了不起的报纸。作者常常请教日后出名的美国马球手谭·梅尔朋（Dan Milburn）——他那时是牛津八班（Oxford Eight）的一员——要他解释报上许多神秘的笑话。但是作者记得最清楚的就是四十年前的《绯红报》对学校的物质设施非常注意。在牛津的四年生眼中，他们自己的大学乃是没有变化，不可能变化的中古时代的遗骸，因此他们对那张报都觉得很特殊。

我们想当时《绯红报》中一定有位连那时哈佛的学生们都认为有点过失的单数者在活动着。

> 如果人应有比投票选一已知已友人更高之责任，此责任即为担保全级能获得与彼等所得地位相称之首领是也。

这是富兰克林·D. 罗斯福在要求级选须不受特殊会社（他自己是这种会社中的一员）的影响的文章中开头一段。他在哈佛时如此，以后也就一直如此。他自己复述这句话也许有三十余年，当他被推为民主党总统候选人时，很多人瞧来都和他的亲友无关。

但是如果把大学四年时代的罗斯福刻画成一个情感化的青年改革者，以为他永远在和保守的意见作对，这也是不合实际情形的。和这相反，他在大学生活的洪流中能很有力的泅泳前进着。

> 要是有什么不损大体的捣乱事件，富兰克林总是参予其事的。在这一点上，他和他的舅

舅华伦·台尔阿诺一样，后者在较早的时期中，曾经为一个公共广场中一座人像打扮起来，这事使哈佛的先生们大为恼怒，动员了警察和救火员去移掉那许多衣服。

这是他母亲说他的情形。（见《我的孩子富兰克林》）她更进一步说，富兰克林的房间和当时大学学生的屋子一样。“四壁完全挂了旗帜，装在镜框中记录着许多事件的纪念品，还有他所参加的各种俱乐部的标征。”一九〇三年一月三十日他在佛莱俱乐部（Fly Club）中举行二十一岁生辰大庆，十一位客人都是化妆来参加的。

富兰克林在大学一年级时，詹姆士·罗斯福与世长辞，罗斯福夫人不希望独居海德公园中，乃迁居波士顿，更接近她的儿子；可是他很忙，那时汽车也是罕见之物，因此她并不能每星期都见到他。她很知趣地不常到他屋里去打扰。有一个暑假，他们一起绕北角（North Cape）到挪威，在威廉大帝游船停泊的江湾中抛锚。富兰克林被邀去游船上观光，他还抓起过一枝被大帝用牙齿咬了许多锯齿痕的铅笔。但是，大部的夏季是在坎普贝罗岛上渡过的，那时富兰克林已经是一艘四十呎帆船“半月”（Half Moon）号的主人，这“半月”号原是一只荷兰船的名字，那荷兰船是一六〇九年觅取自北通西到中国的航线的年老英国商航者亨利·赫德逊所驾驶，它是第一次航行于赫德逊河中的船舶（该河命名即用以纪念亨利者）。

“六月快来时，”他母亲这样记录道，“一分钟也安静不了的富兰克林常常盼着休假日。”我们记起西沃图·罗斯福那种“勤勉生活”时，总会想起富兰克林的精神和活力是从罗斯福家族中获得的，其实它们大约还是从他母亲方面传受来的。事实上，一般地可以说：十个伟大人物中有九个是从母亲方面得到活力的。詹姆士·罗斯福给我的印象，乃是一个可亲有礼的乡下绅士，他的精力只限于一个有对地方事务发生责任感的乡下绅士所能追求的范围而已。富兰克林从他父亲方面得到的也许是正义感和幽默感。两者都是公正平衡感的表现。

富兰克林·D. 罗斯福从他父亲方面传得许多特质，这许多特质乃是今日世界所应感谢那位留须的，有一对尖利的眼睛，一张善感，幽默的嘴的中年乡下绅士的地方，这种感谢应该更重于世界对美国今日所给予的物质援助的感谢。

大学第三年完结时，罗斯福已经准备取得历史和政治学的学位；但是他第四年还是停留在哈佛——一学期中并没作什么精湛研究，因为他私自在准备进哥伦比亚大学法律院的工作。无疑地，《绯红报》，级中主席，以及他自己创立的时事研究会主持人，以及其他种种大学生活中的兴趣。使他不忍离开。他在哈佛埋下了深深的根蒂。自从一六三六年哈佛成立以来，他有很多祖先们和它发生过联系。

西沃图·罗斯福在他的自传中这样写道："我非常爱好哈佛生活，我相信它对我很有辅益，但只限于一般效果方面，因为我真正读书研究的所得，对我日后的生活很少帮助。"

西沃图·罗斯福既然参加了表示出身于高等学者的非·贝他·卡巴（Phi Beta Kappa）社，至少他在外表上比没有加入非·贝他·卡巴的富兰克林·罗斯福显得更受过高深学识的陶冶了。无论如何，西沃图对修辞学的研究，确使他能在晚年写他的《一八一二年海军战争》

了。这书在两年后 八八二年——出版，使他获得了史学家的地位。富兰克林·罗斯福没有写过美国海军史；但是他在哈佛时就开始收藏有关美国海军的书籍，这类收藏已经成了现在最完备的收藏了。如果富兰克林·罗斯福写自传，他会不会像西沃图那样觉得在哈佛的几年并没有什么了不起的重要性呢？如果他也如此写，那倒有点像不知感恩了，因为如果他在这一个多事的世纪的开始四年中不在哈佛而在其他任何学校中，那么我们很难想像出他今日会有什么样的成就了。

有一次，富兰克林还是个小孩子的时候，他总是指挥命令其他孩子们在沙滩上挖造一座堡垒，他母亲怪他不该这样，他回答道：“妈，要是我不老是发命令指挥，一切都不会发生了。”

我们可以想像在《绯红报》编辑部中的情形和这种情形相同；但是印刷者们觉得他的态度非常动人，因此他们从不反对他许多过大的见解。在哈佛，他一定学会了如何取得各方面的反对者们的调协，这一点对他的未来，也许比优越的学位或者甚至哈佛八级的牛耳地位更为重要。

第三章

一八九七年至一八九八年间圣诞节假期时，富兰克林·罗斯福将近十六岁，罗斯福家人亲戚相聚，有一位才过十三岁的简朴迟钝的女孩子（这是据她自己的估量而说的）因为足踝软弱，没能参加冬季的户外活动，她自己感到腿太长，衬衣太短，不能成一个精巧的舞蹈者。这孩子就是安娜·伊丽诺·罗斯福（Anna Eleanor Roosevelt），是伊利奥特（Elliott）·罗斯福的女儿，伊利奥特是西沃图的弟弟，是富兰克林的教父。伊利奥特是最可亲的慈父，但是他脾气逐渐变得古怪，太爱喝酒，因此他妻子死后，家人以为他不是孩子的良好指导人，这孩子就由他们的祖姨伐冷丁·赫尔（Valentine Hall）夫人照管。伊丽诺的幼年景况正似一般从维多利亚中期转变到现在情形那一阶段中杂乱乏味的情形一样。这种情形现在想来颇令人觉得恐怖，但它们也有许多足以令人忍受的优点。

在这次聚会中，富兰克林约伊丽诺和他同舞，伊丽诺那种含有感激性的惊讶已经发现了她这位青年的堂兄[1]日后一定是个出色人物。在这次同舞不久之后，他计划投入海军。他最有力的对敌们一向认为富兰克林·罗斯福长得漂亮而可亲：事实上，他们还以这一点来攻击他。一个人漂亮就不会聪明，成功就不致引起别人的仇意；但是如果他得天助而三者俱备，那么许多人恨他的唯一理由就是因为他得到自然的帮助太多了。

一八九九年秋天，伊丽诺·罗斯福正十五岁时，被温拔尔顿公会（Wimbledon Common）派往英国就读于南田（Southfields）。她在此地受一个英国学校的女校长影响颇深，女校长是法国人，名叫苏凡斯特（Souvestre），她是一位不可知论者和自由主义者，在普法战争前，曾在巴黎教过伊丽诺一位姨母的书。除了在苏凡斯特的学

[1] 西沃图和富兰克林的五世祖是兄弟，但富兰克林的父亲续弦生富兰克林从母亲方面算来，富兰克林又比西沃图低了一辈，而和西沃图的侄女伊丽诺同辈了。

校中上课外，她还随着她在感恩节和圣诞假期中游历欧洲大陆。这故事在罗斯福夫人自己写的传记中说得很详细，这是一本妇女写的最好的自传（《白宫的夫人》）。伊丽诺和富兰克林同样是亲波尔人的，这并不是源于任何情感上的作用，这是因为苏凡斯特在这个女孩子的想像上，给予了一个强烈的爱好民族自由的印象，这种自由的爱好，是她自己不移的信心。

在一个暑假中有个很短的时期里，她见到了富兰克林，但是直到他在哈佛三年级，她已经离开学校时，他们才不是在跳舞的场合上相遇。一九〇四年春季，富兰克林曾经自哈佛请假两个月和他的朋友拉斯洛甫·勃朗（Lathrop Brown）陪詹姆士·罗斯福夫人到西印度群岛和文尼佐拉去，詹姆士·罗斯福夫人的目的是在闪避她儿子对伊丽诺·罗斯福的兴趣，因为她对早婚是不很赞同的。这一次的航游在富兰克林的脑海中印上了西印度群岛军事重要性的印象，但是从她母亲观点上看来这次旅行是失败的，因为在旅行之后，他告诉了她说在上一年的秋天，他曾经向伊丽诺求过婚。这使詹姆士·罗斯福夫人大吃一惊，她那时只不过五十岁，在梅迪逊路上租居一屋以便愉快地照呼她那个正在进纽约伟大的哥伦比亚大学法律院的儿子。她那位未来的媳妇还只有十九岁；她的儿子只有二十二岁。以她寡居的地位，使她非常难于在那样早的时候放弃她这个挚爱着的独子。但是，詹姆士·罗斯福夫人对这种意外的婚约的想法原是过份的。对世界史（罗斯福大总统也是它的一部分）中有重要性的乃是他所选择的这位夫人乃是能有辨别方向的良知的妇女，这种良知使他们驾起了今日世界上第二次的救难方舟，但是一定要渲染这位夫人对他事业的贡献是非常困难的，这种渲染并不是说这位二十二岁的青年在向她求婚时已经考虑到他的政治事业了。她是一位在阿伯拉罕·林肯之后的伟大总统的侄女；但是富兰克林·罗斯福是一个民主党人，因此，在政治上说，和一个共和党的总统的侄女结婚是得不到什么的，他的判断完全是受爱的驱使，而且认为她将逐渐发展成为一个伟大的女性的。他母亲告诉我们说最使她和她的朋友们吃惊的是在富兰克林没有宣布他们的婚约之前，他从来“不是女人堆中的男子”。她从记不起他曾经谈到过女孩子，甚至在他没有和那位“十九妙龄女郎”订婚之前，也没有谈到过单独一个女孩子的时候。伊丽诺·罗斯福自己已经进行所谓社会工作了，虽然现在在英国看来有点“简陋”（英国的高等妇女们已经受过多年教育，培养起一点体贴贫苦人生活的良知了），在她却早就有一种可以回报给社会的东西，这只要她独立处世时就可以表现出来——这并不是仅仅为了她是一位漂亮，风度十足，有希望的青年政治家的妻子罢了。

> 我对生活抱有很大的好奇心（她回忆那时情形时如此写），而且有想经验妇女生活每一部门的希望。我只觉得要赶快；毫无节拍或理由的，我急于要投身于生活的洪流之中，因此当一九〇三年秋天，富兰克林·罗斯福……向我求婚……这像是很自然的事。

这样清白的一种结婚动机，倒像是文学作品中的事。

一九〇五年三月四日，西沃图·罗斯福连任第二任美国大总统。这一对订了婚的青年男女到华盛顿去寄居在伊丽诺·罗斯福的一位姨母，柯尔上夫人那儿，准备参加就职典礼。

他们听见大总统发表在今日看来颇似预言性的演词：

> 我们得天独厚，别人希望于我们的也很厚，我们对别人有责任，对自己也须负责任，我们在双方面都不能有所闪避。我们已经成了一个大国，由于它的伟大，它不得不和世界上其他国家发生关系，我们必须因为这种形势而负起这种种责任来行动……如果我们失败，世界上自由自主政府的主义将根本崩溃，因此我们对自己，对今日的世界，对未来的子子孙孙都负有重大的责任。

伊丽诺·罗斯福也许记得她叔父说这话时是非常用力的，但她不记得他所说的一切，因为她那时对政治既无所悉，更无兴趣可谈。在国会议事堂（The Capitol）门前，她和富兰克林坐在大总统身后的石级上，这是总统家属中人员有特权坐的地方。后来他们一起在白宫中进午餐，在行列进行时，她不断地自己提醒自己，说她正在协助完成一件历史任务。我们可以想像她那时正竭力使自己不去想后二十天就要举行的婚事。西沃图·罗斯福演说时富兰克林心中怎样想，这事我们无从得知。一位活力充沛而且对时事已经极有兴趣，二十三岁的青年，很可能会梦想日后自己也会站在西沃图·罗斯福当时站立的地方上的。如果他真那么想，他像一位聪明的青年人那样没有对谁叙述他自己未来的梦想。

富兰克林和伊丽诺·罗斯福的婚礼于三月十七日在新娘的一位堂姐，亨利·派丽虚夫人的家中——东七十六街六至八号——举行。婚礼在私人家中举行，因为大总统要嫁他的侄女和教女，恐怕纽约不会有容下很多观礼人众的教堂，因此恐怕要警察预先布置必须的防备也太困难了。那天有许多人来看总统坐着敞顶马车来临，竟须七十五名警察来维持交通。结婚进行曲的音乐和在第五大路上庆祝圣柏屈立克日（St. Patricks Day）的希伯尼安古行列奏的《绿色的穿戴》（The Wearing of the Green）的音乐交响着。婚礼由格鲁顿学校校长庇包台

（Peabody）博士主持；拉斯洛甫·勃朗任男傧相，大总统的大女儿阿丽斯·罗斯福那时才二十一岁，任女傧相。詹姆士·罗斯福夫人回忆当时情景，说庇包台博士，新郎和男傧相“洋洋有味的谈着在格罗顿时的种种生活”，几乎没有及时到达礼坛。婚礼举行后，宾客们纷纷向新夫妇致贺，大总统退入图书室中休息去了。这时有很多的宾客急忙跟了过去，没有人再注意新娘新郎了。“孩子们忍受了一段蹩扭的时间，宾客们跟着罗斯福先生后面，纷纷和他握手，几乎没人理会这对孩子了”，这是詹姆士·罗斯福夫人回忆时说的。

作者在此要像其他参加婚礼的宾客们一样地趁机会把注意转移到西沃图·罗斯福身上，西沃图的事业和富兰克林的事业之间有不少相同之处，使许多人相信富兰克林是以西沃图作自己的模型的。一位传记作家妒忌他自己讨论的题目，硬说富兰克林·罗斯福的事业并不受他这位出色的堂兄的榜样的影响，说他的雄心并没有受过这种榜样的鼓励（这未免过份），认为西沃图·罗斯福对富兰克林·罗斯福有影响的这种信念，因为罗斯福家系中这第二位大总统常常引用第一位大总统的话来说明自己的论点，更加使人确信无疑了。但虽然如此，我们还是坚持说这两位伟大美国人的事业之间很多相同之点大半纯粹是因为环境之偶同而造成的；为求仔细起见，最好记取一句拉丁格言：相似之物并不相同（Nihil simile est idem），然后记取在这两位人物之间的不同是根源于气质和风格上的深刻不同点之上的。我们说西沃图的利他主义乃是他那种出众的自我主义的成果，而富兰克林在自身方面的自我主义乃是由他的利他主义强勉加在他身上的，这样的双重矛盾说法似乎太不足奇了；但是它却隐蔽了它们之间的不同之点。

西沃图是约翰尼斯·罗斯福（生于一六八九年）第五世后代，富兰克林是约翰尼斯的兄弟——杰可伯斯·罗斯福（生于一六九二年）的第五世后代，事实上富兰克林的父亲生于一八二八年，在中年时再度结婚，因此使他比他的第五代堂兄[1]西沃图（他父亲生于一八三一年，而他自己则生于一八五八年十月二十七日）晚了一辈。我们在以前已经注意到较老一支罗斯福家系中荷兰血统比和英国血统相混杂的较为年轻的那支罗斯福

[1] 同35页注。

家系中的荷兰血统浓厚。西沃图的祖父是位银行家和颇有财富的玻璃进口商，他的儿子也叫西沃图，和马莎·布洛趣（Martha Bulloch）结婚，她是一个老乔治亚家族的一员，她的两个兄弟为邦联（Confederacy）而努力作战，以致没有受到当局的大赦，其中一位一直流亡在利物浦。老西沃图·罗斯福是热心而积极拥护联合（Union）的，他和家中的传统决绝，加入共和党，因为当时他们所谓的联合民主者（Union Democrats）似乎也受了一点叛变的渲染，在纽约东二十街二十八号中有一度一定有很难渡过；但是多亏这对夫妇之间的挚爱，使他们的家庭不致破裂。小西沃图·罗斯福非常聪明，三岁左右就能知道他家中有两种绝对不同，非常坚决的观点存在着，有一天晚上，他正在母亲膝旁祈祷，趁机祈告上帝保佑联合的主义，使他母亲好好地惩罚了他一顿。

西沃图从婴儿时期就染了严重的喘息病，他在青年期中的全部意志集中在如何治疗这种疾病。这一点，在他进哈佛时总算完成了，他完成这一点时所需的那种智力的体力上的毅力，在六十年后，由另一位罗斯福充分地重演过了。西沃图在哈佛读书时死了父亲，于是他在二十一岁时就成了一位富有而独立的人了。他和爱丽丝·李（Alice Lee）订婚，在一八八〇年他二十二岁生辰时结婚。他同时参加了政治活动，这在当时看来，并不是纽约绅士所该从事的事业。他同时研究法律，继续探究海军史，除了许多体育游戏之外，更玩着狩猎和马球，曾经一度和G.P.浦德南（Putnam）的儿子们的公司合作进行出版事业。那位老大人物，乔治·浦德南少校常说西沃图的出版事业中，包括的大多是一些古怪得使公司中其他人们退避三舍的计划。一八八一年，他才二十三岁时，被选为纽约州会区（Assembly District of N.Y.）第二十一届的议员（Assemblyman），五个月之后，他在州会中要求弹劾法官卫斯特勃洛克，因为这位法官和杰·高尔特串同受贿。若干年之后，他在他自己写的自传中宣称他之参加政治，并没有意识到其他人们的利益，他完全是为了要保全自己在一个自主政府中应有的权利，这种权利是任何人都有的。他坚决认为统治的人们该统治而不该被统治于纽约城的政治老板们。这位政治家的利他主义见解是非常忠实公开的。

起初，纽约城中共和党的老板们很瞧不起这位谴责他们的青年；但是他之努力攻击他们，确如他之攻击喘息病，一天又一天地高呼弹劾。民众都拥护他。第八天，州会同意组织调查委员会，虽然一切证明那位法官无罪，西沃图·罗斯福却出名了。在一八八二年和一八八三年之间，他努力进行许多改良工作，其中一件就是通过一条法案，禁止在污浊拥挤的小屋中制造雪茄。法案通过了；但是控诉院（Court of Appeal）宣称此法案不合宪法，此地不妨摘录原来判词：强迫雪茄制造商离开家庭以及放弃其贫乏之设备，放弃一切有利之影响，以求其在他处推进业务，此种法案殆不能改良雪茄制造商之健康或其道德。

这是富兰克林·罗斯福还只三岁时，那污浊的小屋子所引起法院中的好感。他在五十年之后，也和法院发生纠纷，但是他会原谅十九世纪那种可咒的，法律上的虚伪作风的。

一八八四年二月十二日，西沃图·罗斯福的母亲逝世了，二十四小时之后，他的妻子生女儿后逝世，遗下的女儿就是一九〇五年圣柏屈立克日为伊丽诺·罗斯福作女傧相的那位小姐。

伤心已极的西沃图当时希望退休于北达柯达（North Dakota），他在那片准州（Territory）上买了一点地，但是他虽然拒绝代表州会，却同意作为纽约州四位代表之一，参加一八八四年在纽约州举行的共和党推举总统候选人典礼。那时，自内战以后没有一点裂痕的共和党已经开始有点腐化了，这一点可以从它之企图推詹姆士·G. 白莱因（James G. Blaine）为候选人的事情中看到，白莱因是出名的贪取贿财的人。罗斯福竭力协助上议员艾德蒙（Edmounds）竞选，艾德蒙被《纽约太阳报》的台那（Dana）称为“超然人物”（Mugwumps）。白莱因被命为候选人。罗斯福不顾共和党中前进份子们的忿懑，宣称他仍旧要投共和党的票。他知道白莱因不好，但是他相信那怕在一个坏的领袖之下，国家一切情形在共和党治下总比在民主党治下好些。那年，民主党方面有位好候选人，能干的纽约州长格鲁伐·克利夫兰（Grover Cleveland），他得到“超然人物”们的帮助被选为总统。于是，罗斯福在大选后退在艾克角牧场（Elkhorn Ranch），过了两年乡村生活。

有一天，那是一八八六年九月，西沃图·罗斯福在乡居中读报知道了他被一个独立党（Independents）的团体推为纽约市市长候选人，他立刻东下进行竞争。民主党方面的候选人是位老实人，丹默乃·霍尔（Tammany Hall）那时作风很好，另一位是联合工党（United Labour Party）的候选人亨利·乔治（Henry George），也是位老实人。劳工党的突然出现使纽约的财主们大为吃惊，共和党因此和独立党密切合作，但结果民主党候选人当选，西沃图·罗斯福居第三位。选举之后，西沃图渡大西洋，在圣乔治，哈奴伐广场和纽约的艾迪丝·卡罗（Eidieth Carow）小姐结婚。她是他儿时的好友。一八六九年他还是个孩子时，和双亲到巴黎去，曾经有这样一段日记：十一月二十二日。晚上，妈把艾迪丝·卡罗的像片给我看，她的面容使我对永远不会再回来的过去滋生一重怅惘和怀恋。

西沃图对一个女孩子所生的钦慕，早于富兰克林，不过他在和她结合前，曾经和另一位女子结过婚。

一八八九年，西沃图被哈立逊总统（Harrison）任命为文官课（Civil-Service Commission）一员。彼时革新目的之一即为不再使文官职务完全成为胜利党之“赃物”，而文官课之目的即在摒弃一切不称职者于官厅之外。一八九二年，克利夫兰再度被选时，他再任命罗斯福任该职，罗斯福努力工作，使共和党政府中官员不致让位于民主党人。一八九五年，一位革新派的纽约市长当选，西沃图·罗斯福被选为警务局主席，使他得以发挥革新的精力，此地值得注意的就是在罗斯福任此职期内，柏林方面传来的德国反犹太主义在此地激引起反对犹太人的情结。犹太居民区大受这种主义的热心先锋的纠扰，有人请求他禁止举行公共集会的权利。但是罗斯福却有更好的办法，他允许德国人举行会议，但是却派了四十名犹太警察去保卫会堂，要他们维持秩序。那位德国人以老好的德国方式咆哮了一顿反犹太人的话，听众中没人叽咕一句。德国人的十字军无声无息地倒了台，全纽约的人们都在笑话他。

一八九六年，共和党重执政权，麦克金莱总统任命西沃图·罗斯福为海军助理部长。他那时三十八岁。富兰克林任此职时比他更小七岁，打破了他的纪录。西班牙战争爆发时，西沃图·罗斯福的精力不屑受拘于公文生活之中，因此他组织了“怒潮骑士”在古巴参加了实际战役。他和该师团驻在孟塔克时，被邀为共和党纽约州长候选人，他就任纽约州长使大商业者们深感恐怖，一九〇〇年乃选他为副总统以去掉他。他看清了对方的目的，决心再度任州长。但是共和党的后台老板们设法鼓起绝大的热狂，表现在菲拉台尔菲亚选举会之中，使西沃图无法推辞副总统之选。一九〇一年四月，他对副总统那种不积极的职权非常感到乏味，使他竟至于问日后任最高法院首席法官的怀德（White）如果他入华盛顿法律学院，是不是不致和法规抵触。怀德法官认为此举对一位美国副总统而言，似乎有失尊严，不过允许他在来秋以私人资格入学。那年夏天，麦克金莱总统在勃法罗（Buffalo）被刺。九月中西沃图·罗斯福就美国第二十六任大总统。他那时差一个月就是四十三岁了。富兰克林宣誓就大总统位时已经五十一岁。

一九〇四年，西沃图连任大总统。一九〇五年三月中他为富兰克林和伊丽诺·罗斯福主持婚事时，心中却在盘算如何为自己本国之利益以调停俄国和日本间的争执。一九〇二年，大不列颠畏惧俄国及法国在华之势力影响它的商业利益，深恐俄国染指印度之企图，同时对德国亦不信任，乃与日本缔结同盟，此举深得彼时被选为奥尔特亨保守派代表之温斯顿·邱吉尔之赞许。由于此举之协助，日本乃得在经济上深入朝鲜。日俄开战后，罗斯福立即警告法国及德国，谓如彼等支助俄国，则彼将“即刻协助日本作战到底”。罗斯福并不急于使任何一方获得胜利，因为胜利者将统制中国北部。当两交战国均濒于破产，而战局未来还不能测见时，支助战争双方的美，英，法三国银行家们拒绝再付任何款项，日本请求罗斯福的帮助，一九〇五年夏天，他将召请日俄双方代表到新半球的朴资茅斯（Portsmouth），由他担任调解人。而且，他将开始和英国及日本进行秘密谈判，要日本承认美国在菲律宾的统治权，而美国总统将协助日本完成对朝鲜之统治，必要时且将予以武力之帮助。东京方面之日本首相得到西沃图的密使的保证说：“美国政府对于日本和大不列颠所允诺之行动，将确切实行，一如此行动为条约所规定者然。”这实在是一种秘密的三国同盟。西沃图·罗斯福说他乐于进行公开的同盟，但是他认为要使参议院赞同此举，无异于“水中捞月”。直到一九二四年，这秘密同盟还是秘密的。

现在，罗斯福总统心中怀着这种计划，正被参加婚礼的贺客们所包围着，我们不妨趁这时转过来瞧瞧被冷淡了的新娘和新郎吧。

第四章

富兰克林和伊丽诺·罗斯福结婚之后，住在西四十街的一家纽约公寓中，那时他还继续在哥伦比亚法律学院研读。那年暑假中他们到欧洲去渡那较长的蜜月，那位妻子在这次旅行中写了不少幽默深刻的文字。

从欧洲回国后，这一对新婚夫妇住在东三十六街的一间小屋子中。他们的女儿出世了。一九〇七年罗斯福修完哥伦比亚法律学院的功课。他被允入审判院（The Bar），加入了建立已久，声名鼎盛的卡德，雷霞德，和梅尔朋的法律事务所，成为市政判案的主管书记，以后专理海军法律事务。无疑的，如果命运注定他当一名律师，他一定会成为优良，成功的大律师的。但是，这种假想是徒然的。在大西洋两岸，法律事务乃是没有决定一生要做些什么，而且有充分的个人手段以避免作任何决定的人们所能担当的最佳职业。西沃图·罗斯福甚至以为这事务是他作副总统时可以借以排遣时间的事务。这一对新婚夫妇在西沃图·罗斯福任大总统时，对他已有密切的观察。他们常常住在华盛顿，和大总统的姐妹柯尔斯夫人在白宫中生活。无疑的，这位一表堂堂的纽约律师时常注意看他叔丈的政治信仰的。

> 同样一个人可能同时注意在家事和政治事务上，因此凡是尽精力于商业上者，并不忽略政治，因为我们很特殊地不以不参予公共事务之人为可亲的虚无之物，而以他们为无用之雄蜂；因为我们……为自己而决定事务，并不因代表之方法而决定之。

这是贝利格尔斯（Pericles）所说的话，在两千五百年后，极易出诸西沃图·罗斯福之口。他之进入政治圈中，不是为了要保持他自己在自治政府下的特权吗？

富兰克林·罗斯福也许早就决意参加政治生活了，如果他有某些决定，他一定是在等待着有希望的机会。

同时，他又如他父亲那样地在荷兰州处理他的种种地方事件。他同时也享受种种作乐，大半是在假日中航行他的“半月”号。

他们又生了两个孩子，其中一个在七个月时就夭亡了。罗斯福夫妇从东三十六街迁居到东六十五街的两幢屋子中的一幢之中，这两幢屋子是詹姆士·罗斯福夫人为她自己和他们而造的。富兰克林·罗斯福夫人并不像一般在一位个性极强，只有一个儿子的婆婆手下当媳妇的青年太太们那样感到有点不大如意。她不喜欢住在不是自己的屋子中过不能代表她的生活方式。一年之后，她为了死去的男孩子，深深地责怪自己。

> 我年轻无知，应该痛苦地责备自己没有好好地照顾那个孩子……我甚至觉得自己太不留意他了，那年冬季，我带给自己和周围的人们不快。我对我可怜的青年丈夫也不时地显得有点使他感到苦楚，他常常使我看到我是如何愚蠢地行为着。

在罗斯福大人的自传中，初婚年月中的生活是多么生动呵！但是我们最好读读她的原作。如果单读这几页也许会损害了全部，而且对现在还快活地一起生活着的夫妇，将成为一种冒渎的解释。

一九〇八年十一月，陆军部长威廉·H. 塔虎特（Taft）以得票众多击败了三次竞选中的民主党候选人W.J. 白莱恩。一九〇九年三月四日总统就任时华盛顿正降大风雪。除了前任那位总统之外，没有人会更深切地知道：前任总统在国内出面对他后继者将成为莫大的障碍，因此在就职典礼之后，他就脱离了美国公众生活。前任总统常常要陪他的后继人到白宫去。西沃图·罗斯福却上了火车到纽约，几天之后航行到非洲去。那冬天的气候正象征了被西沃图·罗斯福遗留在风雨中的孤苦孩子——共和党的未来命运。西沃图·罗斯福在非洲作了大狩猎之后，又到欧洲和他所访问的各国领袖们同作狩猎之戏。他那种生气跃跃的个性，被欧洲人民视为真正的美国精神的表现。在英王爱德华七世葬礼中，他代表塔虎特总统参加。他被推选为伦敦市的自由人，在吉尔特会堂中对听众们发表了一篇纪念性的演词，说如果英国要建立一个大帝国，他们必须学习如何统治它。这在当时引起了小小的忿慨，但谁能说它不是我们所需的警告呢？西沃图 · 罗斯福对当时已经很明显的自由贸易有一点不耐，对英国人民想依所得的肥油水而生活的意向也很为不平。西沃图 · 罗斯福访英的最高潮，当推牛津大学授他以名誉学位之时，寇松爵士在演说中说他是：一切伟大帝王的同僚，战争的调停者，恶怪的消除人，但也是非常人性的人，和你我没有什么不同之处。

一九一〇年六月十八日，西沃图·罗斯福回到纽约，受同胞们最热烈的欢迎。他（并不以党的方面说）是一位世界上出色的民主主义者；他回国后发现自己的党附庸于财阀政治之利益而予民主政治很多打击，他认为对高级财政，投资利润以及政治上的贪污腐败等情形的攻击，必须再度开始。

此地，我们必须对美国两大政党作一点肤浅的认识。独立成功之后第一次的分化是在共和党人中出现的，以汤麦士 · 杰佛逊（Thomas Jefferson）为领袖，主张各州都应保持自由，另一派是联邦主义者（Federalists），

以亚力山大 汉弥尔顿（Alexander Hamilton）为领袖。杰佛逊代表南方农业者们的利益，汉弥尔顿代表东方财政人物的利益。当时人们常以为联邦主义者们有着亲英的情绪而且还一度计划过废弃独立。一八二八年，经过和敌对方面的报纸上的诽谤（一世纪之后，罗斯福夫妇也同样地受敌对报纸的攻讦）作过有力的舌战之后，安德瑠·杰克逊（Andrew Jackson）当选为大总统，于是旧共和党乃变成了民主党，联邦党乃成为灰格党（Whig Party）。一八五四年，灰格党因为对奴隶问题意见不一而瓦解，一八五六年，它以共和党之名而重生。这新共和党的力量乃是基于工业化的北部和东部的；民主党的力量则以南部之农业为基础。共和党建议要提高赋税，民主党要求自由贸易。最后，它发展为内战时的区域斗争，南方乃由联合而成为联邦各邦。然而在北方和东方依然存在着不少联合民主主义者。这时，西沃图·罗斯福（那位西沃图大总统的父亲）放弃了罗斯福家系中民主党的传统而成了共和党党人。和他同时的堂兄弟詹姆士·罗斯福（富兰克林的父亲）则仍属于联合民主党。内战之后一直到一八八四年格鲁伐·克利夫兰当选大总统时为止，民主党一向在灰暗时期之中。克利夫兰先任勃法罗市长，后任纽约州长，显示出颇能不受政治上后台老板们的操纵。

民主党就全国而论虽然处于灰暗之境，但是在州的政治中它还是保有着伟大的权力。在东部，所有爱尔兰血统的人们全是民主党人。“老板”这个名目乃是在荷兰统治下时一直传下来的，不过把这橙黄色的字染成绿色的却是爱尔兰人。政治老板乃是党机构中的经理人，凡是州以上的官吏由一政党更换入另一政党手中时，在那种政治竞争之后，老板们有全权支配“赃物”（spoils）的势力。八十年代中的斗争之一就是要使文官职务不受分赃制（spoils system）的限制。青年州议员时代的西沃图·罗斯福是和分赃制斗争的出色人物。

英国人往往把共和党和民主党比作保守主义和自由主义，其实并不如此。事实上，共和党对投资利润的保护以及对大商业的忠贞，都颇似保守党，但是除此以外，他们并不比来自乔治亚或卡罗林那的保守的民主党人更为保守些。西沃图·罗斯福本人就是一位前进的共和党人，有点像英国的托雷民主党人（Tory Democrat），富兰克林·罗斯福则是一位前进的民主党人（Progressive Democrat），因此，他努力使民主党十足地代表出自由主义；因此，他获得不少前进的共和党人们的附和。一般说来，南方还是十足民主党的势力，东方主要是共和党的天下，西方和中西部则不时变换于两者影响之下。最后，我们可以说共和党和民主党在意识上并没有什么可以见到的区别，它们之间的区别乃是地理、传统和经济上的混合物。这可以说是一种真正政治上的区别，而且，尽管世人对美国的政治多所非难，在世界上却只有美国的“政治”（politics）才较近于制定这一名称的海伦尼斯（Hellenes）的原意。

美国政治的活泼生气，一半也是为了总统任期短促的原故，总统每四年选举一次。众议院每两年选举一次。一九一〇年时，参议员仍旧由各州的立法机构选出。不论人口多少，每一州选两位参议员加入国会。参议员每六年选举一次可得连任，但是三分之一每二年即告退休，因此旧人员总比新人员多二倍，使参议院中的意见比众议院中的意见显得平稳。除了组成了国会的参议院和众议院之外，还有州立法院（State Legislature）包括有州参议员和州众议员（State Assemblyman）或州代表。每一州的首领是州长（Governor），原是宪法上袭用殖民时代的名称而产生的。他的任期自一年至四年，各州不同。在纽约，以前二年一选，现在改为四年。大体上说，州长之和州的关系，正如总统之和合众国的关系相似。

一九一〇年，有一件改革案使前进共和党人和前进民主党人们都深深震动，这就是修正宪法，规定州立法院投票选举国家参议员，不再由民众投票。两党的后台老板们一致反对这种修正，因为它削弱了他们的势力。一九一〇年西沃图·罗斯福回来时，四年以来努力和两党在纽约的保守势力作斗争的州长却尔斯·E. 霍甫士（Charles E. Hughes）已经辞职改任最高法院的法官。西沃图·罗斯福决心要保全纽约州长这个位置给不受政党老板们左右的人，在沙拉吐迦的共和党州选大会中，他竭力促成推举亨利·L. 史汀生出任州长，同时提出了进步性的方案，史汀生在富兰克林第二第三任大总统任内，担任了陆军部长。

民主党州选大会在罗乞斯特举行，民主党人预感到他们敌对党中的内争情形，乃推约翰·A. 狄克斯（John

A.Dix）为州长候选人，以为必操胜券。这次大选会中，富兰克林 · D. 罗斯福任荷兰郡代表。这是他第一次参加积极政治活动之始。

沿赫德逊河的各郡都是共和党势力，情形正如英格兰东南农村区全是保守党势力一样，但是在赫德逊或包甫凯拨西之类的城市中，颇不乏支持民主党的力，而在包甫凯拨西，这种力量之强大，甚至可以在最后决选中，为荷兰郡举出一位民主党的议员来。市长沙迦（Sagon），包甫凯拨西的民主党市长，以为富兰克林 · 罗斯福是优良的竞选人，同时人们建议另一位民主党乡下绅士路易士 · 史都继巽地 · 钱勒（Chanler）应该放弃在州议会中的位置而参加二十六参议员区中的竞选，在这竞选中荷兰郡要和哥伦比亚和包特南郡周旋。钱勒对这种建议的回答是："不，多蒙分神。"自一八五六年以来，除了一八八四年中有一位受三面攻击的民主党人被选之外，民主党人从没有被选参加二十六参议员区竞选过。因此，人们把这建议提给罗斯福，他当时也许以为自己非待下届选举时，不能被选为荷兰郡州议会区候选人，同时他个人在包甫凯拨西的声望使他自觉颇有胜利的把握，因此他接受了这种建议。他在纽约的事务所以及他的家人们都以为他发痴了。当然，包甫凯拨西方面地方政党的首领们也这样地想着。

在举行地方选举前三天，他应当地民主党领袖们之召，秃着头，穿着马裤和长统皮靴，走进荷兰郡主席的办公室中去。

“你该脱去那双黄皮靴，换上一条正正式式的裤了”，主席很仔细地看着他说道。

三天之后，十月六日，富兰克林·D. 罗斯福由区代理人迈克推举命名，迈克对听众们历举以前这位青年人的各种成就。他是哈佛同年级的永久主席，纽约牛乳业委员会的一员，海员公会的受托人。

在那天晚上的宴会上，罗斯福说：“我以绝对独立的立场接受这次的候选。我不向任何人起誓，也不受任何特殊利益的影响：以后我也将如此。如果我当选，我一定以全部时间为本区的人民服务。”

包甫凯拨西的《鹰》报上说罗斯福先生在这次竞选中至少纳了四位以上数字的竞选基金，而参议员史哥罗刹不致因为他的竞选而受很大的纠扰。

罗斯福所作的唯一贡献就是他不取助于党方面基金的支援而完全自己开销一切竞选费用。党方面绝不会斥资来支助争取一个根本没希望取得的位置的。罗斯福进行竞选不过一个月，他决定把个人的呼吁对象完全集中在乡村农民身上，把城市中的竞选工作完全托付给党方面的组织去进行。当时要借匹马单车去走遍三郡是不可能的。因此他坐一部汽车去。这举动被认为非常愚蠢，因为在一九一〇年时，农民们依然认为汽车是魔鬼的发明品，它是传染疫病给农民的。罗斯福坐的是一辆鲜红的汽车，同车的是李加图 · E. 康乃尔，他十年来总在试着争取第二十一区的众议员一席，这一区包括荷兰郡，包特南，哥伦比亚，及赫德逊西岸另一个郡。康乃尔想对小学生们演说。他以为当小学生们长大之后可能选他为众议员的。

罗斯福夫人只能参加一次集会：因为第四个孩子快出世了。她回忆她第一次听她丈夫演说时的情形，当时她非常不安，因为他说得很慢，有时停顿了半晌，使她害怕，以为他会中断了的。

他那时看来很瘦，很高，非常严肃，有时很局促不安。皮肤白皙，头发金黄，深深的一对蓝眼，态度俐落。他脸上没有一点绉纹，但是有时看看他的下颌使人觉得这位机警的青年在服装和外表上颇能流露出力量和荷兰的固执气派。

罗斯福在那次竞选中被选并不是因为他善于词令，而是因为他能在一握手之中就和农民们成了朋友，同时因为他洪亮的笑和对乡村常识的渊博。十一月八日，罗斯福当选为二十六区州参议员，康乃尔当选国会代表，那年秋天，民主党大获全胜；但是罗斯福在他自己区内所得的拥护者，人数比在竞选州长时压倒史汀生的狄克斯多。共和党的老板们已经对西沃图·罗斯福上校宣战了。

罗斯福非常希望能被选任为纽约州参议员的意图，从他将妻子们一起迁居在近阿尔巴奈议事堂的国家路上一座住宅中的举止上可以看出来。

“在阿尔巴奈，”有一天罗斯福夫人这样写，“我开

始了我 生的两重性的生活。从此之后，无论我丈夫是否在政府中工作，社交公众生活成了我们日常生活的一部分了。在他，这是他全神所注的事业。他也许在那时还不能像今日这样组织起他自己的政治哲学，但是对政府科学是有趣的，而且人民，了解人民的能力，在他们的个性中表扬自己的个性，这些都引起他孜孜研究的兴趣。”

除了劳合·乔治之外，这一世纪中有没有把人民当作人民看，和罗斯福一样地对他们发生兴趣的重要政治家，这是一个问题。一般政治家在试图了解人民时总认为人民不过是投票人罢了。这并不是说罗斯福在今日不能算一个深刻地把人民当作投票者来了解他们的出色人物；不过对研究他事业的人，我们该说他所具有的乃是一种创造性的了解，而不是单纯的利用主义的了解。

那时，罗斯福夫人还写道：“我以我该作什么的观点来看每一件事物，而很少从我要作什么的立场出发……因此我对政治发生了兴趣。”

罗斯福夫人进入实际政治颇有一点戏剧性。州立法会第一件要务是要选出一位参议员来接替一九一一年三月中任期届满的共和党人琼赛·地庇奥的。由于明年大总统竞选时民主党的希望很大，民主党从州选胜利中获得的新参议员也因此受人注意。丹默乃·霍尔的老板毛菲（Murphy）所选定的是勃法罗的“蓝眼”皮莱·薛汉。对薛汉外界并没什么不满之意，不过他为纽约方面许多公务公司及所牵累，为了民主党竞选化了很多钱，是互求利用的党机构中典型的产品。

前进民主党人并不以为他足以代表他们要昭示全国的那种精神，于是另外举出一位候选人艾德华·M.薛派德，他是罗斯福所拥护的。民主党还没有集会举行候选人命名礼前数日，毛菲方面传来了消息说薛汉为坦玛奈所选。罗斯福独自在阿尔巴奈散步，他必须决定要屈服于毛菲脚下呢，还是要高趾阔步地和党机构作对。西沃图·罗斯福二十三岁任议员时为了要弹劾法官卫斯特勃洛克而不惜得罪别人。我们可以假想这一个榜样正可以在一世代后一位二十九岁的州参议员身上找到。他在格鲁顿时就以不顾一切高踢足球闻名。薛汉不该作民主党候选人。为了要使他得选，党方面须有一〇一票；他们可能有一一四张票，一切安排得很好。罗斯福现在的目的就在不使他得到这一〇一票，他劝服了十八位民主党议员和自己一起不参加预选会，因而达到了他的目的。他们发表了一个宣言，声称他们为了党的利益不能参加这集会。

因为他们相信足以代表人民的人们所投的票，不该在会中被阻抑住，他们以为人民该知道他们的代表如何不受任何预选行动的限制来进行投票；使人民知道任何候选人所得到的群众乃是由立法会中代表的推举而非该团体以外的人所左右的。

另外有两位立法者加入了这次的反叛，战斗于是开始了。

反叛者们的年纪有老有少——其中一位已过七十——各种人物都有。统一大家意志的就是富兰克林·D. 罗斯福。他们之中如果有一个人脱逃，这小小的党团立刻就会破裂。立法会每天开会选举参议员，每天又必须因选不出参议员而宣布延展会期。反叛者们每天早晨九点钟时，常在国家路罗斯福家中聚会，一起到议事堂去，记录下他们妨碍议事进行的选票，然后在罗斯福家中的图书室里吸吸烟，话话天，一直到下午两点钟。这种廉价雪茄的烟冲到二楼的婴儿室中，于是婴儿室迁到三楼去了。反叛者们不停地吸着烟。罗斯福很有本领使这一切看来像是开开玩笑似的。

种种压力被加在他们身上，要使他们屈服。全州各种会团委员会等等都传出对薛汉有利的决议。郡中报纸编者们也立论支持薛汉。有地位的商人们被邀到议事堂中来警告反叛者们说如果他们不支持薛汉，他们的政治生涯即将告终。甚至银行方面也突然要起抵押品来了，罗斯福因此不得不各处奔走，为他同道反叛者募集资金。

但是反叛者们坚持下去。正月过去了。二月过去了。三月二十九日议事堂起火，立法会不得不暂时在拥挤的小房间中开会。悬望已久的议员们不能再忍受下去了。他们通知毛菲说他们将在阿尔巴奈选出任何一个人来。最后，毛菲放弃了原来意见，于是州最高法院的詹姆士 · A. 沃戈曼（O’ Gorman）法官被选出来代替了薛汉。罗斯福为了急于想击破外界传说他们所以坚决反对，是因为反对天主教的流言，所以又选了一位天主教徒。除了天主教以外，沃戈曼别无缺憾。这次选择很得当，反叛者们就接受了。在六十四次票选时，他被选为美国参议员。反叛者们送他们的领袖一只银杯。

这十个礼拜的长期战，使人民公开投票推选参议员的运动因而展开。次年，国会中以三分之二票数通过该决议；一九一三年五月由各州立法会之请求，宪法修正案第十七条中乃正式规定该决议，并付诸实施。

坦玛奈方面对富兰克林 · D. 罗斯福的意见，可以由“大丁姆”苏立文的话中表达出来，苏立文在看到新立法会议员名单时说道：

> 好，要是我们抓住了一个罗斯福，最好是把他拉下来丢到水里去。罗斯福是善于变化的，这孩子将来对我们的情形，当如那位上校对共和党的情形一样，他会使党分裂的。

第五章

一个人的性情如何，可以从他所喜欢的牌戏中看出来。罗斯福最爱玩清雅的“匹奎特”（Piquet，一种双人玩的三十二张纸牌戏）。玩“匹奎特”技巧高明的人常常使人以为他最后得胜是凭幸运的：罗斯福被认为是一位幸运的人。他的政治生涯正似一局大的“匹奎特”戏；他如果犯了错误，那些错误正如一位“匹奎特”戏者轻忽了他心爱的游戏所授给他的智巧，因而造成了错误一样。

本书中不能详细叙述罗斯福作州参议员时活动的情形；不过他当时是全心倾意地进行这一任务的，他在三十以前就发现了他所求于生活者就是政治：不是为政治而政治，而是把政治作为政治家的武备。他在参议院中曾经因为“拒绝一支对他区内有利的费用”而引起物议，

“两党中所有参议员们对这位青年叛徒所作的牺牲都觉得有点不解”。参议员罗斯福争论说预定划归荷兰郡修筑桥梁的费用是不必要的，应该归还给国库。这在政治上当然是一个新的角度。也许这是一种早熟的政治家作风的表现。

他的职务之一就是任参议院中森林渔猎委员会的主席。那时通过了一条将森林渔猎委员会，森林购买局，州区用水供应处合并为一个新的保护委员会。这使他对于资用保护方面得到不少学识，他在这一方面得到当时协助过西沃图·罗斯福执行这类工作的吉福特·平柯特很多的帮助。二十年后的农业调整法案和泰尼赛河谷权利案的通过，实有赖于当时在阿尔巴奈议事堂中的委员会。

最后值得注意的就是他投票赞成民主党所反对的妇女有选举权的决议。这一票之投，是他夫人所能记起的他在州参议员任内所完成的唯一工作。

一九一一年秋天，参议会重选，民主党老板们决定要对反对丹默乃的那些反叛者们进行报复。他们不愿重选反对者而情愿让共和党得票，他们成功了。但是反对者们的领袖还有一年的参议员任期。因此他可以在全州中掀起反老板主义的巨浪。

这里我们且摘录那年十一月中罗斯福在勃法罗所作演词的片段如下：

> 上星期奎恩斯的卡山台悄悄地溜走了。在勃罗克冷，麦克考埃悬挂在他自己齿牙的皮层上。勃隆克斯被摒于毛菲的圈外。阿尔巴奈的麦卡贝在春季中将由一位能击败巴尼斯老板的共和党机构的青年民主党人所取代。柯尼瑙斯·柯林斯已经失去了掌握之权。毛菲和他的同类之辈必须被像除害草似的，连根带梗地拔除掉。

这段话在当时恰似在黑暗风暴的深夜中透露出的一丝曙光。

而在一九一一年十一月中那种指责一团中的老板毛菲和老板巴尼斯的声音，正是三十年之后指责世界集体中的老板希特勒和老板墨索里尼的声音。

罗斯福作这段演说之前不久，曾经去见过乌德罗·威尔逊，威尔逊当时在新泽西任州长，他的事业显示了在重兴伟大的民主党工作中，他是非常重要的。威尔逊曾经阻制新泽西的民主党老板选任美国国家参议员。威尔逊设法在新泽西州立法会中通过一条基本直接法来达到这一目的。罗斯福自己和纽约州立法会中前进份子们为这一同样的法规而斗争时，是一身当前的。

威尔逊问罗斯福如果威尔逊参加总统竞选，在明年夏天的民主党选举会中他可能从纽约代表方面得到多少票。那位青年政治家保证他能得到代表中四分之三的赞助票，但是根据小组规定这许多票当然是无效的。小组规定中制定代表须支持预选会中多数人选出的候选人，这是老板们手中的有力武器。但是，这次的会晤使罗斯福确信威尔逊是最适当的总统候选人，他回到纽约时，满怀热忱，一心要推进这件事。他的企图因为有支持乌德罗·威尔逊的纽约州威尔逊会议的组织而具体化了。

共和党的阵营是分裂的。原动力充足的西沃图·罗斯福上校继参议员拉·福莱特为所谓“新极端主义”的领袖，一九一二年二月中，他在渥海沃·奥伦坡斯演说，赞同提案权（initiative），根据这种权柄，某定数的投票人可以建议新法案，赞同国民表决权（referendum），根据这种权柄，要决定人民是否赞同在执行中之一法律，必须投票表决；赞同法案撤废权（judicial recall），根据这种权柄，大多数之投票人可以要求取消法官所作之一件判决。这一来就似火上加油。一九一二年春季中，塔虎特总统和这位上校互相诋毁，越来越激烈。四月间塔虎特从他和上校私人信件中摘下了字句，上校对这一举止回答时咒骂大总统是在“咬喂他吃饭的手”。西沃图被称为牛麋派（Bull Moose Party）。

共和党全国委员会调整代表阵容后，自六月十八日起，芝加哥的共和党竞选大会中有不少激烈的场面。接着是一阵寂静的时期，最后罗斯福方面代表决定拒绝承认共和党竞选会而要自行举行一个前进的竞选会，目的在举西沃图·罗斯福来对抗塔虎特。

牛麋派急于要知道六月二十四日在巴尔的摩举行的民主党候选大会。结果大半有赖于上校。如果议会代言人坎普·克拉克被推为候选人，西沃图·罗斯福将代表前进派进行竞选；如果乌德罗·威尔逊当选为候选人，则民主党前进派正得到一个他们所热烈拥护的人。

富兰克林·罗斯福为威尔逊竞取候选人，非常出力。他到巴尔的摩去，同行的有一百五十位非官方的拥护威尔逊的代表团，他们的任务是在和南方及西方来的官方代表们打成一起，使他们得到这样的印象：以为纽约代表团是为坎普·克拉克而叫嚣，同时在利用毛菲老板对威尔逊的阻抑行为。在恩派亚州中大部分的投票人都要乌德罗·威尔逊，不要坎普·克拉克，如果威尔逊当选为候选人，他能为民主党战胜纽约区。罗斯福夫人非常认真地进行她了解政治的工作，她和丈夫一同到巴尔的摩去。他们所租的那间有家具的房子里有着非常不舒服的床铺，而且屋主连碟子都不留一个。罗斯福夫人为了这种混乱情形，非常惶惑，而她那种社交上的自信，更为出入候选会堂，为父亲的竞选而活动的坎普·克拉克的女儿的举止所摇动了。过了几天，她决意离开巴尔的摩。她对当时的决定，在回忆中是这样的情形：

天特别热。我对竞选乌德罗·威尔逊为候选人这件事所知道的情形很少。虽然我知道我

> 丈夫对这件事非常关心，他化费很多时间来为这件事而努力。最后，我以为自己很少照料他，孩子们又要到坎普贝罗去，而且他很少和我在一起的时候，于是决定回家把孩子们带到坎普贝罗去，在那儿静候佳音。

坎普·克拉克开头就得到了多数人的拥护，这种情形一直发展到六月二十九日夜会时为止，一切都表示出这位受人欢迎的竞选人无疑地会在候选中得到必需的三分之二人数的。第二天，富兰克林·罗斯福得到一点坎普·克拉克的战略家们拟定的一个计划，计划中要一二百个巴尔的摩军官和他们手下的宪兵们去到会场楼上，守门的人被吩咐了，凡是有克拉克纽扣的人都可以放进会场中去，因此，富兰克林·罗斯福从一位在巴尔的摩政治场中有一点势力的朋友那儿立刻邀约了一百多个人，再加上他自己从纽约方面来的一百多个人，给他们克拉克纽扣，叫他们紧跟着克拉克的便衣宪兵们进入候选会场去。在一个信号之下，克拉克的人们摇起旗帜来喊道："我们要克拉克！"立刻，带着克拉克纽扣混入场中的威尔逊方面的人们也同样地热烈地喊道："我们要威尔逊！"这种喊叫成了一种激扰。这一激扰使一个自由的斗争在对方的声音还没有冲出楼板前，得到一个转机。

无疑的，决定结果情形的，基本上还是凭 W.J. 白莱恩对威尔逊的拥护；但是能够在危急的时机中摧毁坎普·克拉克最后获得候选人资格的机会，而使形势转变，却不得不归功于富兰克林·罗斯福的小小手段。投票赞成推威尔逊的数目迂缓地增加着；直到第四十三次投票时他才得到多数票。最后，在第四十六次投票中，威尔逊以九九九票对克拉克的八十四票，由于坎普·克拉克的经理人的一个举动，候选乃一致通过。

在坎普贝罗，罗斯福夫人"在威尔逊先生最后胜利时，得到一个狂喜的电报，它说：威尔逊今午被选为候选人，余全部计划胜利。富兰克林"。

在候选会之后的一个计划是到新泽西，西吉特去见乌德罗·威尔逊。

"我在纽约见到克米特，他说：主教正在为克拉克祈祷。"当记者们访问时，富兰克林·罗斯福这样说。克米特的父亲，那位上校，听说乌德罗·威尔逊当选时，心中一定不高兴；但是八月五日前进共和党候选会合法地在芝加哥举行，他已被推为候选人。在太平洋沿岸，南方及东方各地演说之后，他在十月左右到了中西部。十月十四日在梅尔华基，他从旅馆中到市议堂去演说时，被一个疯人开枪射击了。子弹进了他的胸膛，如果他的袋子中没有那个眼镜盒子，那卷原稿，他的肌肉如果不是那样结实，这一枪也许会使他死去。“别伤害那可怜的人。”他说，他不顾友人们的劝阻，坚持要换去那件染了血的衬衣，对听众们演说。他演说了一小时，直到快结束时才有一点困倦之色。他被送到芝加哥一家医院中去，医生们说他的生死未能判定。威尔逊在霍思上校（Colonel House）的建议下宣称在上校不克竞选期内，他不再发表任何竞选演说。罗斯福上校对这一点反对道：

在我没有被刺之前所宣布的种种对我以及我们信念攻击的真理和道理，现在仍旧可以作为攻击我的真理和道理，而且应该为这种原因而继续说下去；现在所不能宣说的，正是在此之前所不该宣说的。这并不是对任何个人的竞争，这是关于主张原则的斗争。

上校的妻子经过绝大的困难，才算劝他休养了半个月；但是在十月三十日，他又在梅迪逊广场上对一万六千人作结束他竞选的演说。西沃图·罗斯福说话时非常安静深沉，但是却具有非常动人的忠实情绪。他真是个非凡的人呵！

我非常高兴，因为我是在这种斗争中，献身于斗争，能够以毕身时间来进行斗争的许多人中的一个。这是一个为正义，为友爱，为人类幸福而进行的斗争。

西沃图·罗斯福作这段演说时，富兰克林·罗斯福正害着伤寒，病卧在纽约。他的妻子也病倒了。而他还要为纽约第二十六参议员区竞选而斗争。

这时，政治舞台中出现了路易斯·麦克亨利·霍威（Louis McHenry Howe），在罗斯福夫人看来，他是“一位安静，有点像小鬼似的，从阿尔巴奈来的矮小新闻记者”。

路易斯·霍威是沙拉吐迦温泉一张地方报纸编者的儿子，他开始新闻生涯时担任纽约《呼声报》的通讯员。他在这种职位上采访州政治新闻，范围包括阿尔巴奈的立法会议。他比富兰克林·罗斯福大十一岁，在对薛汉的斗争中，他觉得富兰克林是非常有前途的，现在，他正在阿尔巴奈和别人以五十元打赌，他说尽管丹默乃如何作难，罗斯福必定再度当选。

“觉得非常可怜，颇有点像劳拔特·路易斯·史蒂文生在梵利玛时神情”的罗斯福要他妻子打电话给霍威。霍威开始担任为他推动竞选运动。这推动中有一件出色的事，就是赫德逊河流域的竞选人第一次在报纸上刊登了全面的广告，公布了他对抗公司商人，保护农民的计划。这是救济农业的好计划。这广告使富兰克林再度被选为州参议员，而那位眼光远大的路易斯·霍威因此得了五十元。

从此，最非凡的合作就开始了。

那时，罗斯福夫人不大喜欢路易斯·霍威，他的香烟有点熏人。

> 我觉得他的烟损坏了我丈夫卧室中应有的新鲜空气，只要他来报告竞选的情形，我心中就老大不高兴了，我完全没有看到他是在使竞选得胜，而且也不知道在当时没有他，我的丈夫将更加困苦不堪，或且失败。我就讨厌他的来访和他的烟。我现在奇怪当时它们如何地使我头疼。我没有一点尊视观念而且在行为上更显得非常冷板。

当富兰克林·罗斯福再度当选为纽约州参议员时，乌德罗·威尔逊被选为美国大总统。西沃图·罗斯福得票数占第二位。塔虎特又次之。西沃图和塔虎特二人得票数合起来，可以绰绰有裕地击败威尔逊。共和党保守派们责备西沃图，说他分裂了全党；但合理地计算一下投票数，便可明白分裂共和党的是他们，不是他。我们说如果西沃图·罗斯福当选大总统，也许就不会有一九一四年的欧战，或者说即使欧战爆发，也不致展延这样之久，这种说法并不是夸张之词。

在纽约州，民主党再度占取了立法会中的参众二院。劳拔特·F. 华格纳（Robert F.Wagner），二十年后提出了全国工业复兴法案，在新政（New Deal）中担任要务的人物，在富兰克林·罗斯福拥护下被选为州参议院主席。阿尔法莱德·恩曼纽尔·史密斯（Alfred Emanuel Smith）被选为州议会主席。二人都是丹默乃方面的人，都是富兰克林·罗斯福的好朋友。在大西洋彼岸，那年十一月中，一个维也纳的漆匠正到慕尼黑去找工作，本尼都·墨索里尼正被选为意大利社会主义党会议中的一员。在英国下议院中，工会主义者们正在疯狂地激动着。十一月十三日，主席宣布议会延期，海军中新任爵士的温斯顿·邱吉尔步出议会时，反对者们都向他喊着“耗子！”邱吉尔先生摇摇手巾答复他们的呼喊，那时一位乌尔斯特人（Ulsterman）罗纳尔德·麦克乃尔先生拿一本厚书，掷向他脸上去。麦克乃尔先生日后被任为克斯汉登爵士。

那年冬天，当州立法会开会期间，罗斯福家人们住在泰恩·欧克旅馆中。罗斯福夫人说当时传说她丈夫被邀参加担任华盛顿方面的行政工作，但是她忙于家中事务，没有多注意这种传说。她当时半星期在阿尔巴奈，半星期和她的孩子们在纽约。罗斯福自己为救济农民而对公司行号进行斗争。在这一方面通过了一个法案。他同时建立一个委员会，专门考虑纽约城中许多罪恶问题，建议组织一个“道德”警察队以禁闭“罪恶窟”和放荡的妇女们。也许在一九一二——一三年冬季在西四十区第六街和百老汇之间纽约警察的激烈行为正是这一委员会所促进的。那时笔者正卧病在纽约旅邸中，还记得当时警察搜索赌窟的情形：那比当时的电影好看得多。

乌德罗·威尔逊就职前三日，富兰克林·罗斯福从纽约到华盛顿去。在那儿他遇到新行政机关中任财长的威廉·麦卡图（William McAdoo）。麦卡图问他愿不愿意担任纽约港的收税官。这是个很好的位置，因为这意思说他可以在退休前得到很好的进款。这位“匹奎特”牌戏者看一看手中的牌，放弃了这一张爱斯牌。于是麦卡图建议要他出任副财长，这是更好的职务；但是这位牌戏者又放弃了这张爱斯牌。那天下午他到未来的海军

部长裘斯夫斯 · 丹尼尔（Josephus Daniels）那儿去。丹尼尔问他愿不愿担任海军助理部长。罗斯福毫不犹疑地允诺了。正如一位好“匹奎特”牌戏者那样，他为了要造起自己的分数（这是好牌戏者最初的目标），他情愿放弃两张大牌。

三月十七日，他结婚周年时，辞去了州参议院的职务，宣誓就任。他才三十一岁过两个月。西沃图 · 罗斯福直到三十八岁时才担任了这个位置。

那时，合众社采访这次典礼的记者，日后成了F.D. 罗斯福总统的助理私人秘书……

他有一次对一位报人说：“一个国务院中的首领要走完一百码路到白宫去，竟要化费二十年光阴。”

“呀，”那人回答道，“但是在战场上，一百码已是很远的距离了。”

第六章

裘斯夫斯·丹尼尔提出要富兰克林·D. 罗斯福出任海军助理部长时说因为他以为富兰克林是他在华盛顿所碰到的最漂亮的青年人，这好似他仅是为了好奇而有这种建议；但是这当中也有一点真理存在着。丹尼尔自己是从北卡罗林那来的美以美教徒。他并且是白莱恩一派的和平主义者，而以白莱恩为国务院首领，以一位勃莱斯巴特里安的长者作白宫主人，更有这样一位新海军部长，美国海军的前途似乎很暗淡。

但是裘斯夫斯是一个机警的——非常机警的人。他在为威尔逊竞选中，负责民主党一切对外事务。他已经注意到罗斯福受人欢迎的情形了，他也许已经注意到这人的名字是战斗的代表。他看见罗斯福拒绝了热中于政治生涯的青年人一定会抓取的两个肥缺，心中非常感动。他也许还注意到罗斯福对于海军中各种事务的兴趣。最后，他是非常机警地觉得应该有这样一位青年副手来和他自己所不愿也不善于周旋的海军人物们往来，因为在这个海军行政机构中，有不少事情需要清理，而且这机构看来要有十年暗淡时光，受大商业和政客们的影响很大。

丹尼尔和富兰克林·D. 罗斯福两个极端会合之举是非常的成功，就他们两人相辅相成一点上看来，两人都值得我们称道，现在行年八十，作为驻墨西哥大使，过着光荣的退休生活的丹尼尔，在三十年前一个春天的下午，选任了这位青年助手，这是举世所该称颂的。

伊丽诺·罗斯福专注她家庭中的事务，始终没有想到华盛顿方面有这种任命的可能性。当她接到丈夫的电报说他就任海军助理部长的消息时，她立刻跑到那时住在康乃克的克特的姑母柯尔斯夫人那儿去商量。柯尔斯夫人是西沃图·罗斯福的姐妹，海军少将齐菲尔特·柯尔斯的夫人。她在华盛顿 N 街一七三三号有一座住宅，西沃图就在这住宅中等候麦金莱夫人从白宫搬出来，这住宅以后补称为“小白宫”。一九〇五年伊丽诺和富兰克林参加总统就任典礼也就在此地。柯尔斯夫人对她侄女说，作为一位海军副部长夫人，她的“责任是要彻头彻尾，随时随地注意海军”，而且要使在华盛顿以小小收入维持地位的青年军官们的妻子们过愉快的生活。她同时告诉她侄女访客时的一套：“我是富兰克林·D. 罗斯福夫人。我丈夫最近被任为海军助理部长。”

这样一家又一家地自我介绍之后，罗斯福夫人觉得自己的羞涩慢慢消逝了。这并不足奇。

那年秋天，罗斯福家人们从贝姨（柯尔斯夫人）手中买了“小白宫”，全家迁去了。詹姆士·罗斯福夫人帮他们安顿一切，她媳妇就到处去访客。她说那年冬天，她每下午都忙着去拜访。在拜访中，她还见了那时住在近N街一七三三号附近一家公寓中的路易斯·霍威夫人。富兰克林·罗斯福把霍威从阿尔巴奈拉到海军部去帮他的忙。他以为霍威对他将有绝大的帮助：他推测得很对。我们想罗斯福夫人一定很遗憾地认为这种看法是对的。那时，她发见霍威夫人没有汽车，于是她在进行访客时，常常用车接霍威夫人和她的男孩子到处去走走。她车中也常坐有自己的一二个孩子。但是，罗斯福夫人真正喜欢路易斯·霍威，不再讨厌他和自己丈夫那种密切交情，却还是几年以后的事：一直到一九二〇年副总统竞选时才开始的。也许她如果早日和路易斯·霍威做朋友，她能早日得到真正了解政治的钥匙；但是在华盛顿那些早期生活的年月中，她成了一个“华盛顿社会体系的奴隶”，而且，她还要负起照顾一家小孩子的责任。在一九一三——一四年冬季中，另一个儿子快出世了，而那些拜访，每天二三十次的拜访，真是非常麻烦的。

> 礼拜一访最高法院法官们的太太，礼拜二议会会员……礼拜三……礼拜四参议员夫人们，礼拜五外交家们……还有其他各种人物……礼拜六及礼拜天照顾孩子们。

继着是乘海军船只的远航，这是罗斯福夫人所畏惧的；还有赴各海军基地和船坞去巡视，必须要经过漫长疲乏的旅程，而且永远要疲乏地背那一套正确不误的演词和动作。海军中一切仪节问题使罗斯福夫人担心。上军舰时该她在先还是她丈夫在先呢？他站着敬礼时，她该怎样呢？她该巡视的是船中的那些部门呢？海军部长自己在海军仪节上也常常犯许多错误；但是丹尼尔从没有像海军助理部长夫人那样为这些问题担心。罗斯福自己“似乎坦然地知道一切”，他妻子记录道：

> 我真奇怪他怎么会得到这么多的学识，而我却要努力问许许多多的问题。也许他很早就对生活中一切发生好奇之心。在任何情形之下，他总能回答我们许多问题：有时我们以为这次一定把他难住，使他答错了，但是一翻百科全书却证明了他是对的！

我们越仔细地研究罗斯福的政治事业，越觉得作为一个伟人，他的负担能力是很惊人的。他对自己的学问一点都不夸大，轻描淡写地，只有专家们才会觉得他所知是如何地专门——平常人还会以为他只有一点表面上肤浅的学问而已。他对自己所不知道的东西，绝不装作知道，更坏的是他还不断指出自己所说的错误。他漂亮而有风度。他善于社交，知道如何穿扮。因此他除了因为自己的功绩而爬向梯级上去之外，还得到不少社交上的利益。他是非常善于应变的。他还很小的时候曾经告诉他母亲说如果他不能立刻至少同时完成两件事，他觉得应该惭愧。罗斯福的善于应变又成为他显得肤浅的一种外表了。他会哈哈大笑。这可以说他也许是禁抑不住自己的笑，有人说他欠庄重，也可以说他是用笑来作掩饰，而有人就说这是他不诚实的证明。他总是怡然自得，而在别人看来，个性真正深刻，智力坚强的人们对严重的责任是不会处之怡然的。政府官员所负的责任一定是很沉重的，人民们看一位伟人举起这沉重的负担时，总希望见到他们筋肉暴露，汗流满面。最后，罗斯福有一种吸引个别一个人底坚强信心的能力，这在一个政治家说来也不是好的标记，因为这只表示出一种吸引别人，以利害相诱的个人野心而已。是的，一切责任是很沉重的，但是罗斯福之能担负起它们，正足以表示出他的人才。

在这儿，我们要知道，美国大总统的阁内人物和英国内阁人物不同，他们没有集体担负的责任，而且他们个人在国会中并不占一个议席。因此当他们中有人发表有关政策的演说或文字时，它不对任何负责，只对总统个人负责。同样地，一位海军助理部长在不使他的上司发生棘手困惑的前提之下，可以随意发表他对政策的意见，这是英国海军副部长所办不到的。英国海军大臣当一九一三——一四年时，在一个和平主义的，一心专注于社会革新的政府之下，会像青年的罗斯福当时在报纸上发表如下的文字，这是不可想像的事：

> 我们的国防必须扩展包括全部西半球……为了要保持巴拿马运河，阿拉斯加，美洲萨摩亚，关岛，报特·里可，康他纳摩的海军基地，菲律宾群岛，我们必须有军舰。我们要建立一支在战时非但能保护我们的海岸以及所有土地的海军，同时要使这支海军能保护航行到任何地区去的我国商船。

那时，海军预算中被减削成二百万元，海军大受阻抑，而这位青年海军助理部长却能随意写出自己的意见，不受谴责或解职：

我们的海军是不适于作战的。我们现在能派到第一线和敌人有效地作战的舰只只有十六艘。

几天前我作了一次试验。我问二十位海军军官在战争中愿意选择十只奥立贡级舰，还是一只约明级舰；指挥十艘奥立贡呢，还是指挥一艘约明。其中十九位回答是情愿指挥一艘约明级。余下一位喜欢奥立贡级。他有运动员的作风，他说约明级可能自由地乱冲。

我们可以说当时美国人民还是忿恨战争的，战争使他记起长期的内战。对西班牙的战争为期很短，据富兰克林·罗斯福看来，它的影响只是供作小学教科书中的“痴话”，说“使美国孩子们相信自己能对付十个英国人或十个德国人，美国在每次战争中总是光荣胜利的”。笔者记得在一九一二年秋天，看见一队兵走过印地安那，当时我在从贝德福到法兰西·立克的街车中听见有一位老先生非常不满地在说他从战争以来没有见到过这样多的士兵，士兵这样多在他看来是很可羞的。记得有一次，笔者参加一位坦玛莱世界中很有声望的人的宴会，他摇头表示怜悯，因为父母们今后将不顾儿子的物质生活前途而使他们成了职业化的丘八了。这就是为什么一年后，若干州的警察法庭法官们竟以判决送男子们进海军服役为惩罚的道理。

罗斯福庄严地说：

> 海军不是一个革新或惩罪的机关。我们不接受不合格的人员入伍。国内有如此藐视美国海军军役的法官，这事使我深引为憾。

和平主义者宣传中一个根本错误就是他们以为如果把战争一切外形作为可以藐视的，可笑的，退化的东西看，战争便会不销自灭。

我们不必在此详细叙述在美国发现自己被迫在第一次世界大战中积极行动之前若干年中袭斯夫斯·丹尼尔和他的助理部长合作，如何地改良了美国海军，也不必详述罗斯福个人在沿这一方向前进时的成就如何，我们只举恩斯特·K. 林德莱的话就足以证明一切了：

罗斯福直接负责指挥海军文官各人员，海军港坞，和购进供应品等任务。在此我们必须老老实实地说出当时和罗斯福一起工作的海军高级军官们非凡的忠诚和敬爱，使我们很难以在作为一位主管人员的他以及各处组主任的工作之间，划出一条区分的界线来。和我谈过话的人都使人明了他们是非常和谐地合作着的，但是他们都说在开始时，他那种热诚的监护反而使他们不知所措。

“我一生来从没有这样密切地受人注视过，”一位海军少将对我说，“三个月之后，他决定我是对的，这样我们很好地合作了六年。他有时会过份地约束我，或者提议一二种改良的地方——他使他最信任的人都不得不常常战战兢兢地。”

这是罗斯福没有就任大总统之前，那位吹毛求疵的林德莱所写的文字。

罗斯福任务之一就是要使美国海军恢复它的自信

心。他能在三十五岁以前，当他还不过担当一个并不重要的职位时完成这件事，使他被确认为确是一位有非常天才的青年人，同时我们，也得归功于裘斯夫斯·丹尼尔。

一九一四年八月，另一个儿子出世了。罗斯福正在坎普贝罗。他被召回华盛顿，因为欧洲情形严重。他妻子还没有起床时，他就按自己的爱好那样，乘一艘驱逐舰到那岛上去，这是他第一次走在桥上，从一条只有在高潮时才能航船的海峡眺望驱逐舰的时候。

八月十八日，乌德罗·威尔逊发表了他的中立宣言：

> 无论在思想或行动上，我们必定要一无偏见，我们必须约束我们的情感，约束任何足以被解释为一党在他党之前卷入这一斗争中的行动。

我们将把这些字句和二十五年后另一个中立宣言相比较。

西沃图·罗斯福在上年五月中从巴西游历回来，他在地图上画了一条长六百哩的新河流，但是他此行耗损了很大的体力，一直都没能复元。威尔逊发表中立宣言时，这位上校写了一段文字给《展望》：

> 中立也许是保持和平最必需的……但是我们这一举等于没收了我们目前为比利时的和平所该作事的权利，付出为我们自己，或者在未来也可以说是为别人的和平而应该付出的科罚金。

一九一四年九月二十三日，《展望》上又发表一篇文字道：

> 我们在这片大陆上的人应该明白我们是如何幸福，因为在西方世界的我们不必参与在旧世界列强中制造仇恨的过程……当然我们很明显地希望继续完全中立，除非有迫切的需要，我们的中立将不致被粉碎，我们也不致参加双方的任何一面。

这字句是用来非难他对美国和战问题的贯彻态度的。那年六月西沃图·罗斯福在欧洲，在巴黎和伦敦两度遇到了霍思上校，他知道上校是为总统进行秘密任务的，因此他估计乌德罗·威尔逊在高唱思想都要中立化时，一定得到了什么秘密外交报告，事实确是如此，他不愿很早就提出行动的要求来使当局为难，不到几星期，他证明了威尔逊使美国不卷入战争中去的种种努力是根据理论，不是根据事实的，从那时起，他有力的笔就从不放松便利主义一步。西沃图·罗斯福在战争初启时的看法和大不列颠大部人们的看法相同，如果德国人不进入比利时，也许英国一直要等公共舆论对德国作战的令人难忍的方法不能再默忍时才会宣战。

西沃图·罗斯福从欧洲回来时，传说他将接受为纽约州长候选人以使前进派重新回到政治的主流之中，同时，人们劝富兰克林·罗斯福代表威尔逊民主党和丹默乃相拮抗。富兰克林认为如果没有全体前进派人物的支持，他就不愿采取这一行动，而当时似乎要有许多幕后行动才能达到全体一致的目的。事实上，两位罗斯福都没有接受州长竞选；但是民主党前进派仍旧要和丹默乃进行斗争，他们决定和老迦德（Old Guard）拮抗，准备竞选美国参议员，罗斯福同意接受这次的候选。这从党派政治观点上看来是很重要的机会，因为这是新直接初步法成立后，人民直接票选第一次的候选人选举。选举人们应该已经看出了后台老板们无力反对这种革新。那时却尔斯 · F. 毛菲作了一次聪明的举动。他为丹默乃推出一个无瑕可觅的竞选人，威尔逊委派驻德大使詹姆士 · W. 吉拉德接受了。这样使罗斯福不能使竞选成为威尔逊民主和丹默乃民主之间的争执了。无疑的，罗斯福相信他是以参议员支持政府的威尔逊所同意的人物。南方民主党的参议员大半是十足的保守派，在表面上看来像是威尔逊要罗斯福下台的。罗斯福也大为焦灼困惑。

> 我不愿意相信毛菲能把一位大使拉来作一张恶劣的候选人名單上的可敬的第一名人物。吉拉德先生会被拉进这个斗争之中，这也是我绝对不能相信的事。

我们可以假定那时还没满三十三岁的罗斯福也不愿使毛菲安稳而自己引退；因此，他发现吉拉德真要竞选时，他立刻向海军部请假三周，赶到纽约州去到处责骂丹默乃。结果他在候选人竞选中虽然得到州中上部各地农村的投票，但却败于七〇〇〇〇票的都市投票者手中。当十一月选举时，吉拉德为共和党的詹姆士·W.华思华绥所败。

这次竞争决定那时的情形，其重要性不及它给予罗斯福的教训的意义。第一，它给予他的自信以最有力的打击。直到那时为止，他短暂的政治生涯还没有受过一点打击，如果他的失败使他略受阻抑，他将更迅速地争取成功，这失败对命运注定他未来应负的重大责任是有利的，对他能对付未来命运为他安排的更严重的打击，也是一大帮助。这是他的失败给他的精神教训。还有一点实际的教训，就是说在作迅速推进之前没有安定自己两翼方面的局面，在政治上是失策的。威尔逊也许使他下台，但要确使威尔逊不使他下台，却要全靠他自己的安排了。最后，这次失败使他明白他如果要作一件重要的事，同时就不能让别的事来阻挠他。参议员竞选是在欧洲开战以前被接受了的，罗斯福一定希望以他在海军部工作之重要性为理由，收起了他的骄傲，从竞争中退了出来。这看来似乎正是加强渲染这一工作的重要并不在那位驻德大使所作工作之下的好机会，这一点在他表示对吉拉德乐于放弃大使工作的惊讶时，已经流露出来了。

罗斯福夫人要照顾另一个孩子，对这次竞选的情形已经不能记起；不过她至今还记得她丈夫常说他不会成为一位良好的美国参议员的。我们怀疑罗斯福也许早就准备好如何克服失败，使它成为他的胜利。他回到海军部去，非常热烈精勤地工作着。

一九一五年春天，罗斯福和威廉·非力浦斯（William Phillips）被委为旧金山博览会委员。非力浦斯当时是副国务卿，是罗斯福家人的好友。二十七年后他是罗斯福总统驻印度私人代表。罗斯福夫人对他们加利福尼亚之游作了愉快的记载，但当"路斯他尼亚"被击沉的消息传来，在这愉快的一群中引起了什么结果，她却没有提起。威尔逊大总统对德国提出了严厉的照会，他的国务卿白莱恩认为这照会太富于好战性而辞职了。很多人以为裘斯夫斯·丹尼尔也会辞职的。丹尼尔反而积极整顿海军以防万一。他的助理部长对这种决定当然没有什么反对的。

罗斯福夫人说起过她的家庭是如何地被“西沃图·罗斯福和威尔逊总统和他的行政机构之间不同的见解”所扰乱着。她说“我年轻的丈夫”和她的叔父——那时已经五十七岁，但还很年轻似的——“都希望能够从速作一个决定”。

威尔逊的对德照会，并没有得到德国方面对“路斯他尼亚”号击沉事件的道歉或任何回答，于是西沃图·罗斯福撰文说：

> 很明显地，威尔逊总统相信用最卑贱的，由懦怯者们发出的请求——像“呵，好呀，总统使我们免于卷入战争！”这一类的话，就能使美国人民永远忘记死去的人，轻轻忽略了美国的耻辱，作这种请求和辩护的人们颤抖着声调说他们“站在我们总统后面”。他们真是如此的；很好地站在他的后面。他离身后所依

傍的责任和困难越远，这些人们就更接近他。

恩斯特·林德莱说用后备军舰训练人民航海是富兰克林·罗斯福最得意的想法，他大概和他当时“还是很接近”的西沃图谈过这事的。

在一九一五年夏天，他所有的演说中都呼吁：“我们现在必须大量而且非常繁复地来解决军火和军备的问题。”

他非常辛勤的为海军工作，突然害了盲肠炎。罗斯福夫人当时已渐渐能独立经营一切，不再以“带一小队人马”来回于华盛顿，海德公园和坎普贝罗之间为苦事了，她在岛上接到了电报，在火车上听见有个侍者喊她。那是从路易斯·霍威来的电报，报告她入院进行割治十分顺利，但是罗斯福夫人当时并不感激霍威，因为她最恨在许多乘客中使大家注意集中在她身上。她当时还经不起自以为了不起那种心绪的袭击。

在一九一五——一六年冬季中，罗斯福因感冒喉病很严重，不得不请假半月在大西洋城休息，他母亲安排好在那儿和他见面。只有一星期他又回华盛顿办公去了。当时总统在会中提出要求通过的海军预算，是美国史上空前的最大数目。罗斯福要办的事太多了。

一九一六年三月，罗斯福最小的男孩子在华盛顿出世了，但直到初夏举家迁到海德公园去时才为他取名。现在一共有五个孩子了——安娜，十岁，詹姆士，九岁，伊利奥特，五岁，小富兰克林·台尔阿诺，两岁，约翰·阿斯宾华尔，从海德公园，罗斯福夫人带他们到坎普贝罗去，一直住到十月初，她丈夫才来接他们走，罗斯福夫人说那年秋天回华盛顿时，她觉得一切非常严重紧张，使她眼界突然为之开扩。她不再像以前那样完全以她自己的家庭作中心了。她眼看自己的丈夫在日渐沉重的责任之下成长着。那年夏天，他的上司专注于大总统竞选，因此他实际上几乎以全部时间在处理代理海军部长的工作。

我们相信如果一九一二年西沃图·罗斯福被选为总统，美国可能在一九一四——一五年冬季就参战，而战争将相当地缩短了，但这始终是个“如果”的假设。写历史的人不会讨论一个没完成的假设事件的。他如果不受一件事实的阻抑，尽可以自由地作各种想像，战争的缩短不是唯一可能的结论。如果西沃图·罗斯福在一九一二年当选大总统，而且如果他使美国在一九一四——一五年冬天参战，他的国内大众对被卷入战争中而引起的忿恨当能引起严重的结果。看来西沃图·罗斯福自己也明白这一点，因为在一九一六年夏天共和党候选人竞选会在芝加哥举行时，他只得了九十票，而最高法院的霍夫士法官竟得了九百票。如果他相信他有使全国一致拥护美国参战的能力，他一定会使前进派推他为总统候选人，再度发动单独竞选的。霍夫士在共和党中对外向主和平，正如威尔逊不是一个好战的民主党人一样。这次竞选非常激烈，威尔逊所以能战胜霍夫士，全靠西部和中西部若干区的拥护，他们总以为威尔逊比霍夫士（西沃图·罗斯福的军事支助颇使他棘手）更能使他们不致卷入战争之中。威尔逊失去了一半的德籍美人的投票，因为他对德国采取仇视态度，同时他失去了全部爱尔兰籍人的投票，因为他们相信他会亲英的。

乌德罗·威尔逊是以一种矫正错误的精神来使他那伟大的国家参战的。美国人民大多相信他们是为保护世界民主而作战的，正如英国人民坚信他们作战是为要使德国明白弱小国家的权利不是随便地可以践害的。如果世界仍然留在虚伪境地中，英国，法国，意大利和美国应该分担这种过咎的，但是他们所保全的虚伪，究竟比被阻抑的自大国家所支持的血污的惟我主义好些。也许我们以为《凡尔赛条约》给予德国的待遇，正如十八世纪中给予疯人们的待遇一样，并不是治疗，而是惩罚；但这种说法正有利于一位英国首相和法国总理（而不是美国总统）发给一个疯人一张安全证明书，把他赶出疯人院去。

乌德罗·威尔逊被作了历史上的一只赎罪之羊。也许在目前的现代战争之后，世界的优秀感觉已经失去，而不得不转向一个不断寻求理想的解决的人身上，而在他的名誉的尸体上，又开起一度萎枯的，作为人道的新春象征的萎靡的花朵。人们骂威尔逊是个空谈，虚荣，不幽默，固执，善妒的迂儒。也许他是这样的，但是在一九一七年三月末的一个黎明晚上，激动地召请一个朋友来问他战争是否会有转变，像这样的人当时已经很清楚地看到战争会把什么带给他的国家的。它将结束影响很大的不偏的意见；没有这种意见，这一战争的胜利者怎样能以他们的胜利来保卫世界不再有战争，怎样会不因胜利的机会来迅速夺取利润呢。威尔逊也深恐战争的破坏力量将影响到美国人民在国内的自由。它燃起的经济病痛将不断地干扰个人的生活。于是他又回顾自己。他预知似的见到一个短暂的谄媚时期，那时人民沉缅于夸大的宣传中所述的战争将带来的较好的世界，而在人民对这种希望的憧憬被粉碎时，他看到人民一定会轻视他的。

他低吟道：如果有什么变化，为了上帝，让我们参与这种变化吧。

但是威尔逊没能看出什么变化，他就在半信半疑的情绪下要求国会决定要不要对德国宣战。

攻击威尔逊最力的是天主教徒，笔者想提醒天主教徒一句话，他们用以责备威尔逊对战争态度的话，正是清教徒用以责备教皇贝尼迪克十五世对战争的态度的话，而且威尔逊乃是庄重宣称在欧洲地图上，必须恢复一个“统一，独立，自主的波兰”的第一位政治家。这话是他在一九一七年一月二十二日，距和德国断绝外交关系前大约十五日在参议院演说中所提到的。在今日看来，说威尔逊不是一个能把理想带给全世界的大人物，简直是无赖之谈了。然而他的理想，对一位智力坚强的青年，一位一心注意许多实际工作的青年确是很有影响的。如果，像他的赞仰者们所期望的那样，罗斯福大总统能完成威尔逊所没能完成的事业，他一定会承认他曾从那位前驱者那儿得到一切，至少从他的错误中得知所趋。那时，历史将不再以乌德罗·威尔逊为牺牲之羊，而要把他安入牧人的行伍中去了。

一九一七年二月三日美国对德断绝外交关系时，罗斯福正骑着马在海地岛上检阅美国海军陆战队。他奉电搭附近港口的一艘驱逐舰回任。回到华盛顿，他立刻如他夫人所说“埋头紧张工作”。他非常困难地为他夫人取得一个座位去听总统在四月六日对国会宣布的正式宣战词：

> 引导这伟大和平的人民进入战争，进入最可怖，最有毁坏性的战争中去，这是很可怕的

事，文明本身都在受权衡了。但是正义比和平更可贵，我们要为我们最贴心的东西——为了民主，为了能在自己的政府中说话的权利，为了弱小国家的权利和自由，为了要把和平安全带给一切民族，而使世界永远自由的自由人民们能获得正义统治一切的地步——而作战。我们为了这一任务，骄傲地得知了美国为了她所宝贵，给予她生命和愉快，和平的种种原则而必须流血出力的时日来了的时候，愿意贡献出我们的生命和我们的幸福，贡献出我们的一切一切。上帝帮助她，她没有别的路可走。

罗斯福夫人屏息地听完这些话，回到他们在R街二一三一号的新居去，安娜和詹姆士正在屋后花园中玩球，“对突然的变故还不大清楚是怎么一回事”。

罗斯福在海军部中工作着，《纽约评论报》的拉尔夫·勃洛克记述他当时的神情说：

他板着脸，非常坚毅，很有自信的表情。

高高的前额上隐约有几条绉纹。深蓝的双眼藏在光的阴影中。坚毅的薄嘴很快地开了，明朗放纵地笑着。他声音洪亮，说话不含混一点……他年轻，是个精力充沛，有肯定见解，有一定目标，对人可以慷慨仁慈，对自己的信仰不肯放松一点的青年……他不晦藏，但并不显扬。但是他显然非常有能力，甚至使你奇怪为什么在机会均等的民主之下，竟仍使他在目前处于附属的地位中……

在大西洋彼岸，劳合·乔治正在这样地想邱吉尔，他想是在要探探人民的舆论，从战场中把邱吉尔召回来任军火部长。那年秋天，他决定做“他很久以来就希望做的事”了。

第七章

宣战后不到几天，罗斯福奉召见总统。他在白宫办公室中见到总统和陆军参谋总长史高德少将。总统庄重而轻俏地对他说：“部长先生，我非常抱歉，但是你把供应品的市场垄断了。你该和陆军方面均分一下呀。”

在战争以来，罗斯福尽力工作，为美国海军装配一切必须有的物资，使它不致有所缺乏，这种情形写起来很费纸张。他像在十九世纪最后二十年中那些发展北美大陆上的商业潜在力的大财政家们一样，以非常努力取利的精神来办理这件事。那时日后在租借法案中出现的罗斯福，已经在不顾一切传统的障碍，拼命工作着了。

事实上他得到了他上司的允可派一位海军武官到瑞士去，因为只有这样，他才能获得他所要的一座引擎，但是国务院对海军方面的事务非常含糊，一直都没有注意这件小事，到后来，他请求邀请瑞士政府派一艘瑞士战舰来参加旧金山博览会的典礼。由于路易斯·霍威获取特殊情报的能力，他确知智利政府保有它备用的硝酸钠，他决定以公平的代价购进二万吨以供海军弹药工厂之用。海军方面特别需用这种性质的原料，情形非常迫切，但是够得上标准的钠都被一家要高价才肯出售的厂家囤积住了。罗斯福认为智利政府自己积存的钠质地一定很好，他就利用这个机会了。因为和一国政府谈这种事情，必须由国务院来出面，而罗斯福担心外交上交往的迂缓，派路易斯·霍威作他私人的代表和商业属员，直接和智利政府办交涉。霍威到智利大使馆去为美国政府定购二万吨硝酸钠。智利大使对这种专门的要求有一点担愁，他们竟知道得那样的准确。霍威叫他不用担愁，美国政府绝对信任智利政府。美国政府所要的就不过是智利政府自认为很好的钠罢了。美国海军专家们听说罗斯福有这种举动时，开始担心，怕来货品质不佳；但是当它们运到诺福克时，却被认为是从没有运入美国过的，最佳的钠。无疑的，这批货色使很多德国军队消影灭迹了。

像这类例子很多，足以证明当时间非常重要时，罗斯福宁愿个人负起责任来争取时间。当对德外交关系破裂，在国会尚未通过这项用度之前数周，他已经命令用八百万镑购备大炮，军火，深水炸弹和其他武器。他劝服了商人们自动担负起重大工作，并且甚至在政府还没有在合同上签署之前，使他们执行合同上的工作。他非但愿以自己的事业冒险，并且能劝别人以资财来冒险。

征发又一度引起纠纷。一九一七年时，只有很少的老年人们还约略记起林肯怎样独断地来实行这件事，而征发在他们看来总是一件非常令人不快的新政。罗斯福竟像克劳地·多伐尔在大路上拦劫似的，非常不客气地执行着这件事。他和路易斯·霍威从菲拉台尔菲亚火车上征发了一部发电机送到制造驱逐舰的一家工厂中，原来定用这部发电机的纽约一家旅馆，因此迟了三个月不能开门；但是旅馆方面的人对此举很表愉快。罗斯福有使爱国主义中所需的这些令人不快的牺牲，变成了一种友谊的高尔夫球戏的工夫。一九一七年二月，这位助理海长对代表造船利润的人们呼吁，要他们组织一个有七百五十艘舰只的海防军力。造船主们不想和他玩这个高尔夫球戏。因此，他在四月中，煽动了国会，允许授权征发所有游艇及小汽艇。

> 适于供作防海巡弋用的船只的主人们，如果不能得到一只新船的价钱加上两年所得税数，再加上可观的利润数字的代价，绝对不愿把他们的船只卖给海军部的。国家必须征用这些船只，但是我们不能实行劫夺。

五月中，国会授权允许征发。罗斯福为了立榜样计，出售了他自己的五十二呎帆船“半月”号。凡是有好船有好马的人，要他们割爱是很不容易的。罗斯福夫人失去了“半月”号，有如失去了爱子：小“半月”号是她丈夫娱乐之艇，它上面满装了他们愉快的回忆。

除了积极武装海军备战外，罗斯福自己无时不在盼望能够穿起武装来。西沃图·罗斯福当宣战后立刻到华盛顿向总统提出请求，要由他组领一师人到前线去。他和他的长女尼古拉斯·郎华斯夫人住在一起，富兰克林和伊丽诺都去看他。正如罗斯福夫人所说那样，他对他们总是很仁慈的，但是他那时一心专注在他积极参加战役的希望上，对威尔逊的冷淡态度很为扫兴。最后，大总统驳下了西沃图·罗斯福的呈请。按潘兴将军（General Pershing）和陆军部的意见，认为组织一支杰出的师团来号召众人，把其他师团中所需的优良军官完全搜罗去，这不是一个聪明的办法。上校对这个拒绝始终记在心上，而这一拒绝实际上也是一个错误，因为在一九一七年早秋时分，如果西沃图·罗斯福率领这师人在法国登陆，对士气确是极大的鼓励。西沃图又回到沙迦摩尔去过他退休生活，削尖了笔来批评行政当局。

一九一七年六月，陆军部长牛顿·信格发表谈话，它正似一九三九年九月以后许多英国政治家所常说的话一样：

> 我们参入此次战争时，和我们的敌人不同，我们一无准备，非常担心，毫无防备，并没有料到它的来临。我们习于和平，毫没一点准备。

而在十月中，他宣布说："我们很完善地走向战场去。"

西沃图·罗斯福爆发了。

"为了和这种军事行动求比较之故，"他写道，"我们必须回到远古的时日中去。美国在战争中应该以二十世纪的标准速度进行；一个人不该自满，更不该自傲于纪元前七世纪时的标准。"

西沃图的四个儿子和他的女婿，李嘉图·杜巴博士都到前线去了。小西沃图成了中校，卡密特和亚契贝尔特成了上尉，最小的奎恩丁成了空军中的中尉，后来在战斗中殉国。奎恩丁入伍时，伊丽诺的兄弟，那时在通用电气公司中作事的霍尔·罗斯福也和他一起入伍。为了他要脱离的是军火生产事业部门，因此按规定他只能加入空军。他们两人都相当近视，因此罗斯福夫人想他们在验眼前，一定先把验眼表上的符号全盘记住了的。

霍尔·罗斯福在七月中被召赴伊沙卡空军学校中去时，他的祖母，霍尔夫人以为他没有离开妻和幼子们的理由。那位老太太问罗斯福夫人说他为什么不买个人顶替呢。罗斯福夫人说她从没听说过顶替这种事。"她那双老眼惊讶地望着我，她说：'在内战时代很多绅士们都买人顶替。这是该做的事呀。’”

罗斯福夫人生气地回答说一位绅士和其他美国公民并没有什么不同的地方，而且要别人为自己冒生命之险，这是非常可耻的事情。据她说，这乃是她第一次到她生长于斯的环境中所认为合理的水准作的口头抗议；她认为她的观点的改变若不是由于她丈夫的影响，就是由于她开始想到自己的能力之故。一九一七年秋天回到华盛顿“开始热烈进行真正的工作了，我的工作能力，向来多少是被压抑着的，现在完全安放在工作中了”。

然而，富兰克林·罗斯福虽然也在积极发展他的工作精力，但他还念念于从军。他请求调为海军现役军官，但他的请求被拒绝了。他在一八九八年没有成功的事，现在也没法成功。想起当年作海军助理部长的西沃图·罗斯福比他年龄大，还能脱去便服着上军装去参战，这事很使他梗梗于心。

种种增加生产的号召，使人们要求将望远镜减为一块钱一付的举措，增加训练营，医疗处等等，都很可以表现出他办事的能力，但是他还年轻，他并不以为投向办公室一切事务中的深水炸弹，比投向敌人潜水艇的炸弹更令人兴奋。

幸而有一件事足以略为安慰他一下，那就是当北海布鱼雷计划决定后，他有了间接参加这行动的机会，这计划是大西洋两岸海军专家们所反对的。如果在开始时没有罗斯福热烈的支持，这一计划很难实现。

这一伟大事业的价值如何，始终还是一个论争之点，因为直到停战协定快签订之前，它才完全完工，因此它在潜水艇战役中发生的效果如何是无从估计的；但是在那短短的时期中，它充分证明了它的效力而使人认为保守的海军专家们的反对，使它的工程因之延缓，这实在令人遗憾。

这时期中，丹默乃·霍尔非常注意着罗斯福在华盛顿的活动。一九一七年，该组织约他作七月四日的演说，他接受了。一九一八年六月却尔斯·毛菲提出以罗斯福为纽约州长候选人。但是罗斯福却一心在打算穿上作战的制服，他并不以为纽约州长的位置就可以代替了制服上的金边。如果他没法参加作战，他以为他该留在海军部中办公。他拒绝了这次的提名，而提请阿尔法莱德·E. 史密斯为民主党候选人。现在是排除宗教上的分歧而加强党的统一的时机。

自从在阿尔巴奈发生之薛汉事件，阿尔·史密斯作了毛菲的外交代表，在丹默乃和那时那群背叛者们之间调解那时起，史密斯和罗斯福就成了至交。他是天主教徒，在纽约从卑微困穷中斗争出来。他年轻时就一直为毛菲所推动，在政治上崭露头角。他在一九〇三年至一九一五年间任纽约议会议员，且任该议会主席若干年。此后他曾任纽约郡执行长官（Sheriff），又任大纽约市参议会主席。有声名的律师威廉·邱区·乌斯朋在薛汉之役中是和罗斯福合作的，他现在正和史密斯竞争着；但是罗斯福的拥护，使乌斯朋候选的机会完全消灭了。

史密斯被选为候选人后，罗斯福写信给他说道：

> 我知道你是被称为“最有能力对付这一工作的人”。我该说这话非但千真万确，而且全州的人民将发现它不是一句空话——而是以事实为根据的。我十二分相信你在州长任内非但要表示出你处理州中事务的特出才能，而且还要表示出你为全州的自由和前进的利益而执

行这种事务的决心。

那年秋天，国会议席选举在全国举行，都是对共和党有利的。一九一二年美国的气氛是随和着一九〇六年英国的气氛的。一九一八年美国的情况又预示出一九二二年英国的情况；它们都是对世界不利的。

但是，阿尔·史密斯并没有和民主党共同退却；他正准备击败州长却尔斯·S. 灰特门而进入一个前进的统治时期，这时期的工作，使他在一九二八年中得到总统候选人的地位。那时他是四十五岁。

如果我们能确知当时罗斯福是以拒任州长为饵以达到参加战争的目的，那倒是很有趣的事。不论怎样，他不久之后就被命渡过大西洋去考察并报告美国在欧洲方面海军和航空的需要情形，并且允许他在完成这一工作之后，可以回到法国，在勃隆克德海军上将的十四吋大炮铁道炮队中任中尉司令官。

七月九日，他受了秘密命令坐了当时新落成，参加护送运兵船的驱逐舰“台雅”号出发了。她妻子说她的婆婆不能送他上船，心中很难过，“因为他是她生存的中心”。但是，詹姆士·罗斯福夫人正在照顾在海德公园中的孙儿女们，而富兰克林·罗斯福夫人又得回到华盛顿的炎热空气中，每天在军人餐室中服务十六到十七个小时。

罗斯福自己在那艘驱逐舰上过得很好，他始终是个很好的通讯员：

七月十一日

虽然有了食具架，我们还是没法吃东西——我们得紧张地坐在栏干间，一手捧碟子，一手抓东西吃。三位军官很不舒服，但是我却很好——正在作着记录。

七月十三日

在操练大炮时，一位初出茅庐的青年人拉着船首大炮的拉绳，这炮是瞄准着很远很远的地方的。麦克考莱和我正站在炮边的舰桥上，当我们头后面轰然一声，一颗四吋的炮弹在离我们不到几呎的地方飞了过去，我们想这一下完了。包梯德上尉觉得很不安。

七月十四日

告诉安娜和詹姆士们在地图上找找这些阿佐斯等地名。

七月十九日

在比斯开湾外……这是我第二次赤脚穿睡衣走到舰桥上去的时候。我下来时对包梯德道歉，但是他说只要海军助理部长不打算换上旧式长睡衣和毡拖鞋，赤脚着睡装倒是很好的制服。

如果你想起什么妈妈或孩子们要的小东西，请你写信告诉我。我也愿为你办这件事，但是我怕你会要我带桌布或者羽毛拂尘的。如果你能想起什么，我在伦敦或巴黎也许可以替你找到的。

替我吻吻孩子们，告诉他们说我舱中还有

着他们的照片。我时常想起你们。世界太平之后我们一定得到这儿来，但是虽然我非常喜欢这种生活，我却不希望你们也坐驱逐舰来。

在比斯开湾中写的这封信所表现出这位人物的性格，是任何传记家要耗费十几章文字才能分析清楚的。

那年夏天，罗斯福在英国和法国会见各色人物，观光种种事物，过得非常好。他和巴尔福同餐，他问意大利在大兰多停泊了一年多的舰队会不会出来。他告诉米尔纳说德国人在三月中的攻击使美国全国人士非常激动。他会见了劳合·乔治，对他的伟大活力的印象很深刻。他和埃立克·吉地斯爵士一起渡过爱尔兰海，看到爵士晕船而他自己并没有什么不舒服，心里很高兴。他还谒见过英皇乔治五世——他当时和罗斯福一样，因为不能直接参加海军战争而很为遗憾。

然后他到法国去和普因加，克里孟梭，和其他部长们讨论海军战争中的情形。他特别地去拜见福煦讨论到十四吋海军炮的问题。陆军方面说它们不能用作移动的炮队。罗斯福说它们一定可以的。最后，它们被装配好了送到法国去，罗斯福就因为这些大炮而想参加战争。他到前线去和戴高德将军同餐。

访问法国之后，罗斯福抱着非常的乐观到罗马去，打算劝意大利政府派舰队出来作战。美国人们正在计划远征以遮断伸入巴尔干的沿海铁路线。美国海军已经准备进行登陆。要劝意大利舰队出海来，是罗斯福所难以办到的：那时意大利的海军如果只能享用意大利陆战队今日所得到的计口分粮，他们一定会饿死的。

从法国回来之后，罗斯福巡视了不少基地，巡视了英国和比利时前线，然后回到英国，他在那儿巡视了不少一百呎的潜艇驱逐艇的基站，他认为这种功劳该归诸专家们的。他还检阅了“大舰队”，在英伐戈登看北海炮战演习。后者的成功给予他很深的印象，他打电报给华盛顿要他们在奥兰多海峡里面也建立起同样的炮火网。它们也许要沿亚得里亚海逐岸地伸展开去：意大利舰队不须要自由的通路。

九月中，罗斯福上了在勃立斯特的“立维丹”号。他和同舰很多乘客和水手们都害了流行性感冒，他的病演变成了两肺炎。他到纽约时，救护车把他送到他母亲的屋子里。到十月中旬，他又去办公了，到月底，他写完了报告，正打算着起中尉司令官的制服到十四吋炮队中去。那时消息传来，说德国人愿意商讨和平条件了。

流行性感冒传到华盛顿了。罗斯福又传染了它，他的五个孩子还有三个用人也染上了。罗斯福夫人和她的厨司除了每天忙着照料病人们之外，还要送食品到她支持着的一个红十字会去。她觉得“家庭中这许多紧急事件倒是很好的训练”，而且逐渐地知道了“凡是一个人要做的事往往是能做的事”。罗斯福夫人从心神不定进步而为心平气静的成功，正和她丈夫由州上议员进展而任大总统一样的令人侧目，无疑的，那怕现在，她都会否认她自己有着那种使她出人头地的心平气静的气质。

一九一九年一月二日，罗斯福家人们乘“乔治·华盛顿”号到欧洲去。助理海军部长被派出去尽可能地售出美国海军在海外囤积的物资和工厂。他们出航四日后听到了西沃图·罗斯福逝世的消息。西沃图在停战日那天，因为害发炎性风湿麻痹症被送进医院去，圣诞节那天似乎有点起色，但只允回到沙迦摩尔去过节，他心中很高兴。一月五日，他看了一遍关于野鸡的书籍，写了一篇给美国国防会开会的文字。十一点钟，他上床对他的用人说："请你熄灯吧"，这就是他有力的声音所吐出的最后的语言。

"死神请他睡眠了，"副总统马歇尔说，"因为如果罗斯福醒着，就会同它发生斗争的。"

他那时才六十一岁，只比富兰克林·D.罗斯福在非州进行西沃图做梦都没有想到的大事时的年纪稍大一点。他之所以不支持《凡尔赛和约》和国际联盟的原因也许是因为他对威尔逊的行政当局不满，不信任，而且如果不经过一番激烈斗争，他绝不会让华伦·甘末莱·哈定作一九二〇年共和党总统候选人的。如果，如果，如果……这种种假设只会使伟大的精神被混扰不清，造成错误的看法。命运已经召回了一个罗斯福而注意了另一位罗斯福了。

近和平会议时，富兰克林和伊丽诺·罗斯福到了巴黎。乌德罗·威尔逊刚周游各盟国回来。各国的人民们都满怀着希望庆祝着。他们并没有发现会议桌的一边坐着的一位是老虎式的法国人，他手套中的尖爪并没有显露出来，他想清算五十年来的仇恨；他们更没有发现在大洋的那一边有着一群上议员们正决定了威尔逊忽视了他们在宪法上的权利的过失，他们没有想到这种忿慨将使世界遭受什么样的损失。

罗斯福很干练地办着他到法国来办理的事情。这些工作中的成就，包括了收入二千二百万法郎把美国海军在包都克斯附近建立的大拉飞无线电台出卖给法国政府之举在内。其间也包括和罗斯福夫人同到前线去观光之行。罗斯福常常把工作和愉快混在一起，在这次，因为事实上妇女不能到前线去观光，他更可以尽兴快乐一番了。

二月十六日，罗斯福夫妇乘“乔治·华盛顿”号从勃立斯特到波士顿。威尔逊总统和夫人也在这船上。威尔逊不善于把工作和愉快合在一起。他成天坐在船中的桌子边草拟国际联盟的第一草案。他被请去看几次拳赛，但是他推说自己不爱拳斗，而且没有时间去看比赛。最后，经过了绝大困难，他被请去看船员们演出的戏剧。有一个穿红裙红袜的歌唱者，在总统走过他身边时，抿着嘴笑着。这使他受不住了。但是，总统回舱之后立刻吩咐千万不能处罚那个人。威尔逊总统在这种情形下作出错误的行动和语言来激动人民的能力，是由于他教授式的气质养成的。而罗斯福在合适的地方作合适的言行那种非凡之才，却是牺牲了学者气息而假政治作用来激动人民的。威尔逊的敌人们说他是个老实的笨人，罗斯福的仇敌们说他是个不老实的无赖，而且很蠢。

在航行中，威尔逊常常召罗斯福去讨论国际联盟的事情。这位青年人当时一定已经感到人间事务的繁复。人们说国际联盟失败了，因此说威尔逊是个空想家。如果康士坦丁大帝没有用帝王的权力来支持基督教之前，我们说基督教失败了，这实在是欠缺理知的。但是不论如何，我们在这儿还只能搅搅汤，因为美国拒绝和世界上其他的人同坐下来进餐，而其他来宾们都相信英国和法国在上每一道菜时总想先分一份，而且，更坏的是他们还不肯供给一点原料来给帮他们制造食物的人们另外制造可吃的东西。威尔逊在就任大总统前只有两年真正的政治经验：罗斯福却有二十二年的经验。而且，这两个人根本性质上也不相同。可是，罗斯福现在正坐在威尔逊的办公桌上，如果他继承前人事业得到成功，那么威尔逊昔日所写的东西，在历史上必定会重放光采的。

当笔者写到这里时，适值一九四二年十二月二十八日，美国副总统亨利·华莱士正在大西洋彼岸，在威尔逊生辰纪念会席上发表广播演说，要他的国人和世界人士明白威尔逊是对的，他们却错了；他说在这第二次世界大战之后建立的和平，必须是一切国家自由，平等，安全，统一的和平；同时他保证他自己的强大祖国在建立并维持这种和平时，要成为积极活动的一员。

一九一九年二月，当那艘“乔治·华盛顿”号泊在波士顿码头时，一切似乎都很有希望。排列在街边的人众们，狂热地用玫瑰向威尔逊抛掷着。在行列中排在第五辆的汽车中坐着罗斯福夫妇，他们可以望见大总统在欢呼声中频频起立挥手作答的情形。

麻省州长卡尔文·柯立芝请总统和夫人午餐，但是他们因为下午要在机械大礼堂中演说，不打算参与任何社交集会，于是柯立芝最后约了罗斯福夫妇。罗斯福夫人第一次经验到卡尔文·柯立芝沉默寡言的脾气，以为这是他没请到威尔逊夫人心中不快的原故。听众们听了威尔逊关于国际联盟的演说，非常激动，那确是很好的见地。卡尔文·柯立芝都说“人民一定会支持大总统的”。

听见这种说法，我们觉得可以作为原宥威尔逊错估了公共舆论的借口了。

到华盛顿的每一站上都站满了欢呼的人群。这是罗斯福夫人第一次的经验，她认为这情形很动人，因为“似乎人民都了解威尔逊的理想”。当允许妇女选举权的第十九条修正法案修正之前，罗斯福夫人颇受她对手们的抑□[1]，这似乎是她作为“一位热忱的公民”事业的开始。一九一九年夏天，她祖母霍尔夫人逝世之后，她就坚决地走出了十九世纪的生活而进入了二十世纪生活的紧张局面中去。十月中，她第一次和对妇女工作情形注意的妇女组织发生往还。

当他自己的长官假期缺勤时，罗斯福在华盛顿更亲切地见到大总统的一切，当然他也听说过国会中的紧张局面。三月初，威尔逊又赴法国，此行使国会中领袖们可以自由地造成反对他的情绪。

罗斯福在海军部的工作还是非常多，但他试作了几次有关国际联盟的演说。他显然怀疑国联是否能消弭战争，但是他声称这是各国所要求的一种尝试，十三年后，

[1] 此处原书脱墨，保留原貌。——编者注

他将说“新政”也是一种尝试。他始终不怕按尝试——过失——改正的规律来行事，而他这种举动似乎时常变成了将武器交给对手一样，而对手们却时常发现这武器对他们自己有害，对他却一无所损。他要人民们不去研究孕育国联组织的各种公文，而要他们赞同那一般的计划，而且他警告同胞们说如果美国不参加，国际联盟将成为一个欧洲协约的新形式。“但是如果我们参加，我相信国联绝不会提出美国所不赞同的要求的。我这样相信，因为我想他们都是有点常识的。”

这种猜测，在他看来，当这次战争过去后，不必再来提醒人民的。

经验过战时行政工作的人们，没有不热烈赞成中央集权的。除了推进美国参加国联的工作之外，罗斯福更渲染建立联邦预算制度的必要。他已经发现时间是在变换的，他努力劝同胞们也顺时转变。罗斯福的进展是非常坚定的；他从孩提时代起就一直照这个方向行进。他走了很长的一段路，当美国必须参加第二次世界大战时，他又想起美国必须参加国际联盟这件事，他在这条路上走得并不远，当复杂的联邦行动使“新政”必须出现的时候，他又想起了联邦预算制度改良的必要。

一九一〇年上议员竞选结束后，包甫凯拨西一位花卉师的儿子，汤麦士·兰区相信罗斯福所走的路是通向白宫去的。在禁酒的前夜，兰区买了两瓶香槟，放在一边，要等富兰克林·D. 罗斯福任总统候选人时开饮。这两瓶酒在一九三二年，在芝加哥被打开了，候选人用纸杯喝着，接受庆祝者的祝贺。如果大家都有像兰区这样远大的眼光，我们该有多么伟大的民主政治呵！

一九一九年七月威尔逊总统回来，国会一致反对他在反映出人类虚荣的镜宫（Hall of Mirrors）中签字的条约修正文字。九月中，他赴全国各地演说。那月末了时，他站在公共讲台上流下眼泪了，这失败乃是他公共生活真正的结束。

第八章

一九二〇年六月，共和党在芝加哥候选人推举大会上已经推出沃海奥的华伦·甘末莱·哈定作他们的总统候选人。

他获得这种资格，正表示了民主（不是民主党）困乏了，要上床休息的呵欠声。

这位人物接受命名时这样说：

> 当专权主义将一个世界性的实验的梦想当作一个世界理想解释的时候，上议院之重新执行它的权威，却拯救了我们的共和国和它独立的民族性。共和党的上议员阻止了以美国独立的优越和势力去换取世界政府中恶劣而不平等的地位这种交易。我们的政党要保持美国国格

使它无所偏向，也不可屈服。

民主党全国候选大会在六月底举行于旧金山。罗斯福和从纽约来的三十位州上议员都在那儿，他们决定要选一位坚持威尔逊政策的人作总统候选人。他成功地消灭了单位制的规定，而和他同道的代表们因此可以不必依纽约代表团多数来决定自己的选择了。在城市中，民主党组织都受威尔逊领导，他们想转变这种情形，以便在十一月中阻抑共和党的势力。

候选大会第一天，康乃克的克特的荷默·史蒂尔·肯明斯（Homer Stille Cummings），在“新政”中任第一任总代理人，当时他是大会的主席，在开会词中他滔滔地赞美了乌德罗·威尔逊的功绩，结束时又出现了一大张这位被打击的大总统的油画像。这是很动人的场面，代表团们深深地感动了，举起他们各州的标记站起来，沿着候选会场游行。只有纽约代表团坐着不动。罗斯福走过去问老板毛菲为什么不命令纽约加入行动。他回来告诉同道的州代表们说毛菲告诉他，叫他等待信号。全会场中高呼“纽约，起来！”声音压倒了欢呼之声。罗斯福瞧着毛菲，等待信号。纽约代表们没有站起来。“起来，纽约！起来，纽约！”其他代表团有点忿怒了。丹默乃的一位大代表杰里米阿·马霍奈紧抓着州的标旗坐着。罗斯福跑过去用力推夺那标旗，把马霍奈推倒在走廊中。州代表们帮助罗斯福，丹默乃的人们帮助马霍奈，但是罗斯福夺得了标旗，竟自率领了三十名代表加了行列之中去。

最后，沃海奥的州长詹姆士·M. 考克斯（James M.Cox）被推为候选人。考克斯既不代表威尔逊的政策，也不代表威尔逊的政府，作为对威尔逊拥护者们让步的表示，副总统候选人就由他们选择。这选择落在罗斯福身上。

裘斯夫斯·丹尼尔打电报给罗斯福夫人，报告罗斯福被推为副总统候选人的情形：

> 富兰克林今天被一致热烈地推为副总统候选人，当时的情形，你见了一定会高兴的。请接受我的祝贺。我不知道他母亲的地址，请代为转致祝贺之意。

这是海军部长对他七年前选择的助理部长那种眼光的自许。这电报对这两位人物都添了不少光荣。

考克斯州长和罗斯福同到华盛顿去见遭打击的大总统。考克斯从来没有见过他。两位候选人共同商量竞选事宜。考克斯不公然支持国际联盟；罗斯福一直为它辩护。这已经是从干枯的根上生长的民主党的最弱的一枝。它是不是应该完全裁去呢？在白宫南面一间屋子中，乌德罗·威尔逊披了一件外套，坐在有轮子的坐椅中，这是一个痛苦的会见。当两位客人离去时，考克斯很谦恭地说："总统先生，我对您的为国际联盟而作的斗争，衷心十分佩服。"

这话的效果很大。那双灰暗的眼睛又闪亮着生命之光。低下去的头又沉重地抬了起来。

"考克斯先生，这斗争还可以取胜的。"那声音这样回响着。

考克斯双眼满是泪水。当他和他的同伴走出白宫时，他们相互望着。

"罗斯福，我们要为国际联盟斗争。"

看来总统竞选的失败，并不是突然有这种决定转变的结果。民主党在那次竞选前没有作过一次演说时，已经被击败了。而那年夏天，华盛顿一位人物的阴影所激发起的决心，对未来人类的命运却有着重大的关系。如果一九二〇年罗斯福动摇而将国联之争弃置一边，他也许在二十年后，将美国的统治权完全抛弃。一九二〇年的决心也许并不是一九四〇年使他连任第三任大总统的原因，但是如果他放弃了国际联盟的见解，就等于承认美国加入战争是一种错误，也许将因此动摇他对自己的信仰，因而丧失了全国对他的信仰。

罗斯福在海德公园一个大集会中发表他接受候选人的演说。替他作一切安排的，乃是日后作他的财政部长，而当时是他的邻居的小亨利·摩根索（Henry Morgenthau，Junior）。罗斯福夫人非常同情她婆婆看到草场上挤满了那么许多人时的心境；詹姆士·罗斯福夫人却很坦然地在"全国性政治场合"中出现，而且"很完满地作了一些必须的调度"。

一九二〇年八月九日罗斯福对海德公园与会大众说的话，是他日后时常说的。罗斯福的持续不变的习性是可以惊人的，这主要是因为他对美国的能力有基本的信仰，美国以为只要它完全了解它对自己，对世界所负的责任的重大意义，它一定有领导世界的能力。

“我们反对全国生活在昏睡时期中。”他那天这样说过。

美国妇女有了选举权，但在最初举行选举时，正值一个昏睡时期，这是件不幸之事。从前推摇篮的手，现在来推摇惰性的世界了。而最困难的就是反对妇女有选举权最力的对手，就是那些认为这种举止会加强了革命红手力量的反革命者们。

罗斯福夫人和一般妇女比起来，有着非凡的人格，但是她又具有一般妇女很多习性，因此我们值得注意她对自治权争取的责任感是如何突然增速的，因为她在政治上所作的事是一般妇女都能做到的。

罗斯福夫人送她的长子詹姆士到格鲁顿去——他那时十三岁还差三个月，比他父亲进格鲁顿时的年纪小两岁——然后，在九月末，和她丈夫一起出去作竞选的四周演说，远涉洛拉考图。在火车中，她是唯一的女性。罗斯福已经作了一次长途旅行，他那种争取前进者们的投票手段，使共和党全国委员会大感困惑。在西部，很多人相信他是西沃图的儿子，他们以为小西沃图·罗斯福上校是出来改变改变外界对他的印象呢。

和新政府中的海军助理部长相形之下显得很黯淡的西沃图·罗斯福，从前在雪立登遇见富兰克林·D.罗斯福时，曾经说："富兰克林·D.罗斯福像个古怪家伙——他没有我们家系中的习性。"

伊丽诺那时没有对这和政治有关的话作什么回答。但是四年之后，阿尔法莱德·E.史密斯州长竞选时，她却说："当然史密斯会胜利的。共和党大会全力支持他，他怎么能不胜利呢？"

在那四周旅行中，她是火车中唯一的女性，她开始了政治上的"紧张教育"。她，和她儿子詹姆士一样进了学校，路易斯·霍威作了校长。很久以来就发现了罗斯福夫人潜在才能的霍威，有意来教育她。他知道她那时还很讨厌他，他知道她讨厌他和她丈夫日夜地谈论各种事情，知道她讨厌他们玩牌时的样子。

霍威有时敲敲她房门，问她愿不愿意和他讨论一段演词。这使她高兴了，不久之后，她觉得自己已经在谈论各种问题了。他解释新闻人员的任务和他们的生活方式，使她可以渐渐地以友好态度对他。他告诉她候选人夫人该有的安排，该如何装作愉快地去欢迎完全陌生的客人，该如何坐在月台上倾耳听那听了好多次的演说。他教她如何看新的事情，为她解释新的环境的意义。他和罗斯福一样，常识非常丰富。

一九二〇年副总统竞选中还有许多人参加执行工作，他们日后都和白宫取得密切交往。肯塔基的马文·麦克因泰（Marvin Macintyre）是安排车辆和旅行日程的。他比罗斯福大三岁，任海军部宣传处特派助理时和罗斯福结识了。浮琪尼亚的史蒂文·欧雷（Stephen Early）是合众社驻海陆军部的记者，曾经报导了助理部长罗斯福的活动，他是麦克阿瑟将军的好友，战争爆发时到国外去，回来时在后备军中任少校。在副总统竞选中，他是先行的宣传人。包甫凯拨西的汤麦士·兰区是收支员。在纽约总部中还有玛格丽·雷·汉德小姐，竞选完毕后罗斯福夫人曾约她到海德公园中住了几星期，清理一切信件。这几星期一直就展延了好多年，因为她任了罗斯福的私人秘书。

竞选结束，正如意料中地大为失败，罗斯福送了随从人员中的男子们每人一付金袖扣，袖扣一粒上刻着收受人的缩写姓名，另一粒上刻着：F.D.R. 字样。这就是“袖扣会”（Cufflink Club）的起源，它表示了对罗斯福个人以及互相之间的忠诚。它日后被名为“白宫党”（White House Gang）。

这次竞选中，罗斯福作了一千多次的演说，走遍了以前没有任何候选人走过的那样长的路途。考克斯州长和罗斯福没有因为要多得选票而放弃国际联盟的信仰，而且罗斯福的演说，和他以后年月中所作各次演说，全没有一点互相矛盾的地方。

罗斯福和邱吉尔在那时是反着群众情绪而行的；现在他们都是跑在公共舆论之前的人物。罗斯福一直为要走上这一条路而斗争着。他没有离远了一步。他一点不含糊。他在大风中驾起扁舟，冒着狂风直往前冲。他的船当然被打坏了；但是他爬上了岸，救起了他的政治生命。如果他当时赶上了狂风，他的船会同样地被打坏，而且他自己也许会沉入海中去的。

选举结果分晓后，罗斯福打了一个祝电给他胜利的对手卡尔文 · 柯立芝。

新年开始时，罗斯福积极参加了一个法律事务组织，接受了梵·李尔·勃莱克公司的约请，任该公司纽约办事处的副主任。他也是哈佛监督人，他开始从事调整纽约童子军组织的工作，并没有成功。

罗斯福夫妇带了两个最小的孩子在纽约住在詹姆士·罗斯福夫人的房子里；他们自己的房子已经租出去了。安娜和伊利奥特由一位导师照顾，留在海德公园中。伊丽诺没有家务可做，非常的不安，而且对冬天的社交生活，也略感倦意。因此她就从她以前的厨司那边学习如何烹饪，她每星期替以前的厨司一家人作两次便餐。她同时在纽约住的四天中，到一个商业学校中去学打字和速记——她周末就和安娜，伊利奥特在海德公园同住。

但是她还要做更多的事情，因此当纽约妇人选举同盟的主席范德立夫人（Mrs.Vanderlip）约她加入该会担负全国制法工作时，她立刻答应了，不过她预先说明自己虽然在华盛顿有点工作经验，而且听见周围人物们谈论过制法的问题，但她对此道纯粹外行。范立德夫人答应约一位优良的女律师作她的助手，罗斯福夫人乃以一种“谦卑，自己觉得不配担任这种工作”的情绪开始她的工作。她到底真正对政治发生兴趣了。那时，詹姆士·罗斯福夫人有点不乐了，因为她从没有见过她媳妇担任这许多不同的职业过。于是她又加入詹姆士·罗斯福夫人所加入的星期一缝纫班，这样，她们每星期有一定的会面机会了。

一九二一年八月，富兰克林·D. 罗斯福距四十岁还有六个月。他七年来没有一点休息，在假期中都有很多事要办。罗斯福夫人和孩子们在坎普贝罗，罗斯福自己在纽约，准备在八月中旬回家去过半个月。

梵·李尔·勃莱克驾了游艇到纽约来约他同游。罗斯福说游艇得将他送到坎普贝罗去。沿海湾上行，天气很潮湿，罗斯福一直在把着舵。他们钓了一两天的鱼，然后勃莱克驾游艇离开了坎普贝罗。

罗斯福一家驾起了“维里奥”（一艘在“半月”号卖给政府作战时用度后所新买的小帆船）。罗斯福希望孩子们在“维里奥”上练习成精练的水手。有一天他们驾船返家时，瞧见陆地上的林中起了大火，罗斯福父子们都有那种精力和社会责任心，他们赶上岸去救火。这次紧张工作后，他们同家去，“一直几天来都说觉得倦怠”的罗斯福，以为在岛对面湾内的格兰·史维恩湖中洗一下就会好的。大孩子也喜欢这种说法，他们一起去洗过澡，跑了两哩路回到家中。于是，觉得稍稍舒服了一点的罗斯福，决定到芳台湾冰冷的水中去游泳。他跑回家，游泳衣还没全干，就坐下来看信件。他立刻觉得混身发冷，晚饭前就上床去了。二十四小时之后，他想起床，发现左腿已经麻痹，温度很高。

这一家人的朋友贝奈特医师从鲁贝克赶来说这是严重的恶寒症。罗斯福夫人把孩子们遣出去参加三天露营。她丈夫在孩子们回来时该痊可了，但是他并没有好。孩子们回来发现父亲的两腿麻木了。另外请来一位医师，他因为没有见过这种的麻痹，拒绝诊治。大家心中都在问着这个可怕的问题。这是小儿麻痹症吗？那时纽约正传染着这种病症。这可能是小儿麻痹症吗？这可能是五岁以下儿童才能害的病症吗？当然，疲乏过度，在大热天中突然洗冷水澡被认为是诱病之因，但是在医药记载中，一位近四十的人害这种病，是很罕有的。最后，罗斯福夫人焦急地伺候她丈夫过了几天，又从纽堡特请了小儿麻痹症专家罗维德医师来诊治。大家所想到的可怕的问题得到一个回答了。这不是恶寒，也不是风湿或骨炎，这正是小儿麻痹症。

有希望治好没有呢？麻痹症初期可以延展到一个多月。第二期又可以延展一个月。然后，在六个月以后，麻痹逐渐消失，而在身体某部分它会继续存在。最后是一个漫长期，这时期中症状不能发作；虽然可以有一点改进，但是收缩和抽搐的情形会日益发展，没法治愈！这句话，在副总统竞选失败后，从报纸上得知民主党在加入国际联盟这主张上失败后，世界上将发生的腐化结果的罗斯福头脑中听来比芳台的冷水冷得多。“没法治愈！”这话的意思是说他如果在未来清除世界的工作中要做一点事情，他必须先从事为自己健康而作最困难的斗争，而无论他如何勇敢，无论他如何坚决，无论他如何怀着热望，他眼前的希望是暗淡的。

世界在腐化了……一九二一年夏天；真有一点腐化的现象了，在战争中所牺牲的那么许多生命、自由、快乐和财富，似乎还不够给人类一点教训。美国人民们正选出了一个宣称要回到“常态”去的大总统，他所谓

“常态”，意思无非是说从四年战争的恐怖和压力中恢复元气后，回到一种足以造成另一个战争的状态中去。乌德罗·威尔逊伤心地渐渐死去，而他见到的那位可能抛弃他的学院气，承受他的意志的人物，却在开始时就被不能治愈的病症控扼住了。

世界在腐化了……在俄国，无数百万的人死于饥馑，斯大林伟大的声名只传布在布尔雪维克内部。波兰和德国正因为上塞尔西亚问题争执着；一个奥国的粉刷匠正在那时突然进入疯狂生活之中，像成千万德国的人民们那样把他们的可怜情形，归罪别人，而以为自己是很对的。那年夏天，就是和这个小奥国人在一起的人们，在黑森林（Black Forest）中暗杀了欧兹拔格（Erzberger），欧兹拔格是劝他同胞们接受《凡尔赛和约》的一位人物。在意大利，那声音粗浊，有一对乌黑闪亮的眼睛，下巴突出的本尼都·墨索里尼正在煽动不满的法西斯蒂起来暴动；但是那时并没人把他看成时代的不祥之兆。

只有温斯顿·邱吉尔在那时已成了举世知名的人物。一九二一年九月，这位当时任殖民大臣的人物在苏格兰发表演说，他认为那时沸腾了全世界的情绪，该由两方面的和平合作来平抑：要由英法和德国合作以建立欧洲的繁荣，要由美英和日本合作来保持太平洋上的和平。这种非常简单的话原没有什么问题，不过英国在爱尔兰所采的政策，却使世界其他文明人类们在那几年中怀疑英国对和平与繁荣的见解中，究竟包含着什么意思。世界正有点腐败了……

当然，在邱吉尔，希特勒，斯大林，墨索里尼他们一生中有许多绝望的时期，但那种绝望的情形，总没有富兰克林·D. 罗斯福才四十岁时，那位医药专家所给他的证明更使他觉得可怕而绝望的。那位人物竟能克服这种绝望的情绪，这正是保证世界获得解放的开始。

还有三种事实存在：他的生命危殆；他几个月之内要感受真正的痛苦；在一九二一年那时的医药学问所知的范围中，像他那样年纪害了小儿麻痹症，可能的治疗只是一种意志的力量和另一种超乎常人的忍耐心。任何政治上的前途，在那时看来都变成一种聊以自慰的空想了。

但是这病症在二十年代腐化时期中，只在若干时期内使他不能发挥积极的政治活动力量。它使他的翩翩外表，温和性情，丰富收入以及古老家庭得到平衡。它使他的性情深刻化，使他更富于慈悲心。它使他有时间和机会来作更深艰的考虑。它使他在年富力壮时不致浪费精力于物质享受生活中。它迫使他那位对政治真正开始感到兴趣的妻子，在丈夫病中不得不继续密切留意政治，因此使她日后能在命定由他负起的重大工作中给他很大的辅助。它使他在精神，智力甚至身体上都成了更坚强的人，因为麻痹症使其他受影响的肌肉发生了补充的作用。而且，它给予他那种非凡的沉静，使希特勒和墨索里尼在他面前显得非常渺小与可笑。

第九章

新行政组织成立后，路易斯·霍威留在华盛顿几个月，来清理海军部的供应品过剩问题。办完这事后，他正打算接受一个良好的贸易任务。当罗斯福病倒时，他留在坎普贝罗，为罗斯福照料许多私人事务。霍威夫人和她的男孩子也在岛上，罗斯福夫人因为他和她自己的孩子们，感到很“麻烦”。罗维德医师向她保证说：如果他们要传染上这种病症，他们早该传染上了。霍威到那儿看到这种种情形时，立刻决心放弃自己的新职业，为罗斯福未来而努力。前次罗斯福害伤寒时曾经再度被选为州参议员，这次在麻痹症的掌握中，他还要为总统竞选而努力。这在那时看来该是多么神话性的梦境呵！但是霍威并不听当时种种批评来认为他们这种措置是不可能实现的。他所采取的第一步就是竭最大可能阻止一切有关罗斯福害病的消息透露出去：报纸上只说那是一种恶寒症，那时到欧洲去的詹姆士·罗斯福夫人也不十分详细地知道自己儿子的病状。他们不使她急忙回家，免得外界猜测病况的严重情形。

只有住在小岛上的人们才知道要使一个人的行动不为外界所知道，该是多么困难的事。在小岛对岸大陆中的纽堡特（Newport）人们都知道罗斯福在害病，第一个问题就是如何不惊动镇上人们，把病人送到火车站去。最初，从屋子里到一个临时担架上，再经过险峻的路，抬下海滩，这真是一段痛苦万分的路程。然后，还要躺在汽船的底层中，经过两哩水路到港口。然后，还要用担架抬着走完码头上一段长长的路，任上面挤满的人们观望。霍威决意避免这种情形，汽船停在港口附近的地方，担架由小路抬到运送行李的路中，看热闹的人正在远处伫候着。这样，罗斯福上了一节专车中的卧车上，镇上的人和报馆中派来的人还不知道他已经登陆了的消息。

当《世界日报》通讯员见到罗斯福先生时，

罗斯福先生正在悠闲地吸着烟，告诉通讯员说他的胃口很好。他说自己虽然起不了床，但是却很舒服。

在纽约，罗斯福先生进了柏立斯巴特里安医院，乔治·德拉柏医师替他诊治了几个礼拜。这时必须对外界发表一点报告，德拉柏医师宣称："我不能断言罗斯福先生什么时候可以出院，但你们可以坚决相信他不致残废。这种病症不致造成永久的残伤。"

这在很多人看来似乎太乐观；但是罗斯福夫人和霍威，还有病人自己却坚决相信医师的话。九月底，詹姆士·罗斯福夫人从欧洲回来，她弟弟把这消息告诉她，她认为富兰克林出院后应该住在海德公园。他在此地将因恬静生活而恢复健康，如果他放弃未来积极活动的希望，他可以在此地开始"他早就想写的书"。

詹姆士·罗斯福夫人并不赞成她儿子在圣诞节以前回到东六十五街的住所去。他出院后到那儿去时，她以为是她媳妇要病人住在那儿，好使朋友们可以去看他，她以为霍威并没有鼓励他假装成可以从事任何工作的样子。

伊丽诺·罗斯福承认那是她一生中最难过的一个冬天。她和一个护士照顾她丈夫。他的腿上包上了石膏，每天还得割去一点肌肉，这使他非常难受。“他毫无怨言地忍受着，从发病后他一直是忍受着的。”

屋子并不太大，路易斯·霍威在一个星期中至少有五六天占住一个房间，安娜现在已经十五岁了，她以为别人对待她不公平，因为路易斯·霍威占住了三层楼的一间大房间，而她却住四层楼后面一间小房间。罗斯福夫人住在间壁她婆婆家中一间孩子们的房间里，要上很高的楼梯，化妆要在她丈夫洗澡间中进行。和她婆婆讨论病人的照料事宜最为困难，因为老太太总以为她对她儿子的情形，要比医生对他的情形熟悉些。伊丽诺·罗斯福认为“如果你要医生治一个病人，你至少得执行他的吩咐。”而家庭中很多人员都认为他们有批评她治家种种措置的必要，这使东六十五街屋中的日常生活变得很繁复了。

最后，在一九二二年春天一个下午，罗斯福夫人经过了一个冬季的过份疲劳，终于跌倒了。她那时正在读书给小富兰克林·台尔阿诺和约翰·阿斯宾华尔听，她突然啜泣起来。她自己也不明白为什么哭，又为什么没法抑制自己。伊利奥特从学校中来看了他母亲一眼就逃走了。路易斯·霍威想研究她为什么哭，但毫无结果。那两个孩子上床去了，他们的母亲坐在沙发中自顾啜泣着。她没有能下楼去吃饭，最后，她发现她婆婆回到海德公园去了，她自己孤单地留在屋子中一间空房间里。她锁上门，用浸透了冷水的毛巾擦过自己的脸，然后聚精会神的镇静下来。这是罗斯福夫人一生中唯一的，最感无法抑制自己的一刹那。

罗斯福夫人这样放纵感情，并不是由于对她丈夫病症有所恐惧，它正表示出她对他未来的焦虑。罗斯福从没有为自己的命运而悲伤。他休养时期中，罗斯福夫人只有一次看见他流露一点沮丧的神情，那是一九二一——二二年冬天之后很久，当“他讨论到是否要化相当的金钱来从事某一件工作时，他说他以为最好还是用钱来使一个无助的人得到再生的机会”。又有一次，家人提议旅行，他说坐船比坐车对他更舒服些。

梵·李尔·勃莱克仍旧为罗斯福设立着玛丽兰方面

的公司，罗斯福卧病中就由霍威代理。但是霍威并不愿意从商。他要使罗斯福回到政治中去。罗斯福夫人对他这种希望却表示怀疑。霍威说她必须使她丈夫对政治的兴趣不变，而且劝她也积极从事政治活动。一九二二年，她遇到一位专心于妇女工作条件改进工作的青年妇女玛丽翁·狄克曼，通过她的关系，罗斯福夫人加入了对政治有非常关切和影响的妇女工会联盟（Women's Trade Union League），经过狄克曼小姐介绍，她结识了南茜·柯克小姐，后者请她在一次民主党州选会资金募集宴会中作主席。因此，她第一次在"相当多的人众"中发表演说。由于和狄克曼小姐及柯克小姐的交情，她结识了不少人，因此和纽约州许多民主党妇女们交往。她作了多次演说，霍威时常坐在听众席中，事后给她一些批评。她往往会没事而神经质地笑了起来。他学她的笑，学得很像，常常笑给她听，使她知道这种笑法是很没有意思的。"他的忠告是：'你有什么要说的，说出来，然后坐下去。'"

但是除了政治之外，她还训练自己作其他工作，使自己有利于病中的丈夫……

她学会了开汽车，学会了游泳……

一九二二年夏天，在海德公园，罗斯福已经支着杖走动了。他不断地勉强作许多事情，借以增加他的自信力，扩展他的活动范围；但那时他每试作一件新事，身体总会受一点不快的影响。

那年秋天，伊利奥特到格鲁顿去了，全家人回到纽约时，也不须再用看护了，安娜也可以有那间她所喜欢的屋子了。经过青春期中种种困难之后，她和她母亲相处得非常好了。罗斯福夫人已经成了妇女民主党州委员会的财政主席，因而她可以如霍威所希望地参与种种政治交往。选举时她驾车送人们去投票。她开始在小地方研究党的政策，觉得它很“健全”。第二年，她在民主党州选会中担任“半职业化”的工作，协助办一张油印的“妇女民主新闻”，不时受霍威的指示。日后，这报改用铅印，罗斯福夫人从他那儿学会了编排，广告，推销等知识。一九二二——二三年以及一九二三——二四年冬季，她和在南方养病的丈夫在一起。他们有一只船，船上可以起居作息，他们驾船在佛洛丽达河中遨游。她觉得起风时，船中生活有点“可怕”。她以为钓鱼对人有很大的作用。一九二四年时，她已经有充分的政治学识，可以绰绰有余地担任委员会的主席了。从巴尔的摩之后十二年来，她已经走了很长的一段路了。

至于罗斯福自己，这一向都在与健康以及事业挣扎着。一九二二年秋天，他每天到办公室中去一次。到一九二三年时，他在这个办公室和他的法律事务所中工作，每天自上午十时半起，一直到下午五时。但是他还是带着扶杖的。一九二四年七月大热天中，他参加民主党全国大会时，还是扶着手杖去的。如果他被病魔压倒了，民主党将因日渐退化而有崩毁之虞；当罗斯福为自己的健康而斗争时，他正在计划如何恢复政党的健康的策略。在这一点上，他的病对他是非常有利的，因为别人不致怀疑他热心从事各种行动是为了个人的动机，除了路易斯·霍威之外，大家都以为他已经退出政治圈了。罗斯福自己却有机会过七年恬静生活，在精力充沛扬溢的年代中回忆起他自己丰富的生活经验，以一个有世界眼光的头脑来考虑宇宙间的景物。他富于创造力的想像不断地活跃看，同时他又积储起大量的精力，活跃的情绪，使他在四十七岁再参与积极政治生活中的时候，生气勃勃，只像才满四十岁的人；夺取了他七年光阴的残酷命运，似乎又把这七年光阴原封地还给他了。

罗斯福相信民主党的未来是和前进及自由的意见相一致的，它的未来决定于它是否有和这种意见一致的能力。据他看来，共和党那种反动的财政政策和腐化的社会政策，必定会使他们党中的前进份子日渐和党疏远；民主党应该起来代表全国前进的意见。这在罗斯福看来是很正确的目标。牛麋党的崩溃正是个好例子，它证明凡是没经过共和党或民主党建立并维持了若干年的政党，是不可能存在的。

一九二〇年失败之后，民主党中间的裂痕已经显见，如果不加以修缮，这些裂痕会日渐扩大使这个政党分裂成三部分——南方的农业保守派，东北方面天主教派的工业人口，和西方农业的威尔逊前进份子。这种裂痕不致立刻威胁民主党，使它完全瓦解，但是民主党当时的统一只是一种表面现象，要凭它来在一九二四年总统竞选中击败共和党是毫无希望的。那时庞大的共和党在全国声势非常浩大，但它却似一个惯贼，兴致来时就会出去犯一次案的。事实上，哈定总统幕内已经有一位几乎犯了许多罪事，还有两位由柯立芝总统保留下来的人，也被迫辞职了。财政上不断地倾注许多金钱到欧洲去，但是这种从美国民众手中集来的钱，到欧洲人手中，欧洲并没有还出一分一文来过。华尔街上的金融波浪日渐扩大，使人们目眩心惊，一切都显得非常古怪。六月中，在克利芙兰，共和党又推柯立芝大总统为候选人，而和他竞争的同伴陶威（Dowe）将军，却因为作了贷款给德国使德国完全屈服的计划而得到了诺贝尔和平奖金。

当陶威将军带了作为和平保证的金言到欧洲时，墨索里尼在早几个月中已经打破了意大利海军在大战中保持和平的纪录，派它们到不设防的科发岛去，用炮轰死了一些阿美尼安难民，而在慕尼黑，那位奥国油漆匠正发动了一次反威玛共和国的武装暴动，有一张照片中拍出他那时穿了一件雨衣，肚子贴地，爬近维持法律和治安的武装部队去时的情形。我们在此不妨引用一九二四年“纪事”上的一段话：

审判希特勒在慕尼黑举行……变成了对

> “种族主义者”或国家社会主义党的英雄们的表扬……他们采取的表记是卐，这被认为是“亚里安”的表记，在德国模糊地被认为是历史性的合理表记似的，受着很多人的欢迎。它（指国社党）从事于对一切“国际力量”——妥协派，马克斯主义者，犹太人，天主教会，资本以及议会组织——进行积极而有力的斗争。

在德国国外，没有人对这些古怪的纳粹十分注意。在美国，人们注意的倒是克·克鲁克斯·克兰（即三K党）的各种活动。这一秘密社团从内战以来，在南部一直很有势力，它对天主教徒，犹太人，以及尼格鲁人宣战，并且和地方上的唐·裘安（Don Juans）以及小镇上的风流寡妇们作对。在南卡罗林那州，规定了一条支付恩俸给内战时曾经作“忠心奴隶”的尼格鲁人，南方各州当时正在重新唤起人民注意，拥护物种天创说，反对达尔文主义。无疑的，如果民主党势力雄厚的南方各州中都斤斤计较这些问题，深思的民主党人一定会担心他们一党的前途的。

二月三日乌德罗·威尔逊逝世，那时德国驻美大使为了怕激起国内国家主义者们的反感，竟没有挂半旗志哀，这一点已经可以看到德国的实际情形。举行殡礼那天，一群退伍士兵们把星条国旗钉在德国大使馆门上，高唱起《花旗歌》。德国国旗降悬在半旗杆上，德国大使仓皇失措地辞职了。

那一个月中，威尔逊的女婿兼他任内的财长W.G.麦卡图（McAdoo）成了民主党拥护的总统候选人了。麦卡图是乔治亚人，从一九二〇年以来一直生活在加利福尼亚；但是他在纽约有不少有钱有势的朋友，也许可以得到东部若干拥护。三K也拥护他，他也能得到西部前进份子们的票。一九一六年威尔逊再度当选，完全得力于南部和西部的拥护。

照理说，作为威尔逊主义前进份子的罗斯福，在一九二〇年时因为坚持威尔逊主义而在副总统竞选中失败了，他一定会支持麦卡图的。唯一的，民主党中另一位可能被推为总统候选人的就是纽约州长阿尔法莱德·E.史密斯。史密斯在一九一八年被选为州长后，成绩优越，一九二〇年民主党总退却时他虽然失败，但在一九二二年时他已经大有起色了。早在二月中，罗斯福和夫人就表示他们拥护史密斯为候选人，那年春天，罗斯福夫人在民主党州选举会中决议在全国选举会中担保纽约代表团拥护史密斯。那时他任民主党妇女委员会主席，对有关妇女的法案作了不少攻击。我们要解说一九二四年罗斯福支持史密斯的原因，必须摒弃一切私人友谊观点来探求更深刻的原因。这很明显的是因为他那使民主党再行团结，重新活跃的战略计划中有着很远大深刻的动机。他自己是位农村中的民主党员和清教徒，他的支助一位城市中的旧教徒史密斯乃是对南部许多反动倾向的一个答复，作为一位前进的民主党员，他支助一位前进的州长史密斯乃是保证西部自由趋势可以存在，同时，这一举又使东部民主党保守份子们放心，因为他们以为史密斯不致不合理地使商业受到纠纷。

罗斯福的支助史密斯，立刻有更进一步的表现。毛菲逝世，史密斯的友人们请罗斯福出任他的竞选委员会的主席。霍威决意要罗斯福回到积极政治活动中去的希望得到圆满报答了。罗斯福接受了这种请求，这一来他使南部和西部人们都发现麦卡图必须为竞取候选人而作有力的斗争了。

出乎那些只想用罗斯福来作橱窗中样品的史密斯的友人们意料之外，罗斯福要求积极作为经理人而努力活动。一直到一九三二年，还有人传说罗斯福当时是被用作样品的。当然这是因为他相貌堂堂——麻痹症并没损坏他的外表。

五月一日，罗斯福接受了竞选经理事务。“路易斯非常兴奋，很仔细地计划着每一步骤”，这是罗斯福夫人日后所说的。

最后，史密斯请罗斯福在梅迪逊广场公园中发表竞选演说，这是一位竞选经理所不常办的事，但是除了罗斯福之外，似乎没人能担任这件工作。

全国候选人选举大会大都是在仲夏时分举行，那时天气非常炎热。一九一二年的热气使罗斯福夫人不得不离开巴尔的摩，但是十二年之后，她却忍热一直留在纽约。

罗斯福扶着拐杖出来发表一篇空前的竞选演说，这在当时出席人心中留下了一个不可忘却的印象。作为一个小书童的詹姆斯，那时才十六岁，在大会中一直在父亲身边。

罗斯福夫人发现在全国党代表大会中妇女的举止并不关重要。“在一切重要会议中，她们总是站在门外等待着。我虽然已经递进了我的决议，但她们作何考虑却还是个问题。”

投票在炎热中一天天地进行着，神经一天天地激动着。

“我坐着结毛绳，天热得难受，我一心希望竞选早日结束。”罗斯福夫人说。

有一天，惠尔·罗吉斯在会场中徘徊，他问她是不是在为要上绞台的犯人结毛绳。她告诉这位电影谐剧名星说她“正想骂那些使这次大会不能结束的人们”。

公园中摆了一百〇三只票柜，竞争在非常热烈的情形中进行着。罗斯福扶杖走来走去，非常愉快。但是他并没能使他演说中曾这样描叙的人物充任总统候选人：

“这是位快乐的战士，他

是武装人士们所盼望的人。”

最后双方同意调解。麦卡图和史密斯的名字都取消了，在威尔逊任内曾任驻英大使的约翰·W. 台维斯被举为候选人。

民主党已经知道卡尔文·柯立芝在一九二九年之前是不会离开白宫的。代表们使纽约区情形更加涣散了。罗斯福统一民主党的企图也许没有成功；但他个人的声名却更蒸蒸日上了。

《世界晚报》说：

> 富兰克林·D. 罗斯福像是一九二四年民主党全党大会的真正英雄。
>
> 拂逆的环境，使他不浮沉于争吵，宗教偏见，个人野心的冲突以及琐屑的小成见之中。这使他成为各地代表所尊敬赞仰的领袖……如果不是他脸上浮现的那种含有勇气的笑容，罗斯福也许是一位淡漠，悲剧式的人物。

罗斯福被邀出任纽约州长。他拒绝了。他在不能放下拐杖时，绝不担任公务。可是罗斯福夫人现在却非常重视政治，在秋季中她正热心为州竞选努力着。显然地，她不能容忍妇女在全国性的选举会中那种不关切的情形。

现在，机会（如果我们否认命运的话）使罗斯福表扬出他作为民主党未来领袖的其他代表条件来了。早在一九二四年，罗维德医师已经告诉过他说在温泉中浴泳可以治好麻痹。那年夏天，纽约银行家兼慈善家G.E.庇包台告诉罗斯福说他在西乔治亚温泉区买了一个疗养别墅，该处的池水对治麻痹症是很有益的。竭尽种种可能去发现治疗方法的罗斯福，在一九二四年秋天决定去试一试温泉治疗了。他在青山和松林的附近，找到了一座三层用木头建造的旅馆和一些小农舍，还有温度在八十九度左右的温泉。他在这儿住了六个礼拜，这六个礼拜等于他治疗三年的工夫。该地没有冬季旅居设备，因此他回纽约，和巴赛尔·奥孔奴合作办一个法律事务所。

一九二五年四月，罗斯福重返温泉，继续治疗，那时全国来此治麻痹症的一共有十个人。上年秋天大西洋州一家报馆记者前来访问罗斯福，打听总统竞选的事，却发现他在游泳，这位记者写了一篇题作《游向健康》的报导，在很多报纸上刊登出来。罗斯福看见这情形大吃一惊，因为温泉的设备即使在夏天也无法容纳这么许多人。罗斯福告诉当地医师让病人在地上和水中该作的种种运动。病人都大有起色，罗斯福决心要使这种温泉治疗方法得到当局的采纳。

当时罗斯福还没有留意到经济革命的范围。到一九三八年一月，他将近五十六岁生辰时，却这样写道：

> 我得非常诚实地承认在二十年代时，我和大多数的自由主义者们相同，在开始时并没有看到那一时期的影响，也没有看到一个永久的经济制度所必需的巨大的更动。我们知道专卖实践中许多变化，以及统制少数人掌握中的财富的举措——这是西沃图·罗斯福和乌德罗·威尔逊所努力争取的变更——已经被展延很久了。但我们并没有真正了解这一问题的深度。
>
> 那时几乎全部的经济家们都认定了一个理由，认为生产的货物越多，国家的财富越多。这种轻松简单的原理没有注意到一九二八年的事实，那时生产增加，失业的人数也增加。

同时，他又这样写："那十年可以说是民主发展过程中的冬眠时期——但，也许它是任何恢复及维持民主政治的伟大行动所必须的时期。"

他在那时期的生活确和这些话语相一致的。

一九二六年春天，罗斯福把他的温泉治疗法提供给整形治疗协会（Orthopedic Association），协会立刻派了一个专门委员团去调查研究。报告证实了罗斯福的提议。于是罗斯福从庞包台手中买了温泉，旅馆，农舍和周围近一千二百英亩的地。一九二七年一月他创设乔治亚温泉基金，开办不求营利的机构，耗去自己三分之二的资产。"温泉简直成了富兰克林第二家庭了"，他母亲这样写道。他自己建造了一座荷兰式的农舍，叫它小白宫，"并不是表示未来的希望，"他母亲说，"这完全因为没有比这更能确当地形容它的词儿了。"她还说："正因为他对土地发生兴趣，因此他爱好生长在土地上的房屋。他常打算买这块或那块土地，常常计划建造新房屋或者翻造旧房屋。"

因此，他从事农事是不足奇的，从养猪到种桃，从牧牛到植棉，他都做过。也许这样化费他不少钱，但是从经验中他得知了乔治亚区和赫德逊流域之间在农事上的差别，对他未来有很大利益。罗斯福家系中没有南部的血液；但是温泉的水非常浓厚，它竟使罗斯福成了乔治亚的宠儿，有一度传说人们还要推他出任州长，这是北部人士难得的尊敬。在政治上，一九二四年到一九二八年间，罗斯福始终努力在说服南部民主党人们来支助史密斯州长，他虽然未能克复南部坚强的反天主教的成见，但却没有因为拥护史密斯任大总统而引起别人对他的反感。相反地，他在温泉方面促进了它的发展（正如促进他自己健康的发展一样），使许多人并不因为他是全国民主党的标准代表而有所歧视。温泉非但使他放下了支架改一根手杖走路，非但教他南方困难复杂的农事，非但使他能再度开驶汽车，非但使他能不断地受到别人的信仰、同情和感激——这有时表现在一些小行动中，据他母亲说“常常在大门台阶上，很神秘地”摆着一些作为馈赠的蜂蜜或者野草莓——而且还教给他日后他自己要说出来的教训：

如果作为个别单独的人的我们不能认清自

已对世界上其余的人们所负的责任以及对他们的依赖，我们的文明将无法继续。因为我们可以说所谓“自给自足”的男女已经像石器时代的人们一样地绝迹了。没有其余的千万人的帮助，我们将陷于死亡、冻馁的厄运中。

但是我们不能以为在那二十年代的时日中，罗斯福只是坐在他那间西望阿拉巴马州，建立在松岭坡上的农舍中，含有哲学气息似的做着杰佛逊式的梦。他除了积极在民主党中进行调解妥协工作外，更任法律事务工作。他是玛丽兰信托公司及美国券务公司纽约办事处的副理。他是美国建筑会主席。是大纽约童子军主席，集资在苏立凡郡建立一万亩地的露营处。他是募集一千万基金建立纽约圣约翰教堂的全国主席。他是美国集体保险基金纽约支部主席。他是他孔尼克州公园委员会主席。他是伐沙学院理事。是威尔逊基金执行委员之一。同时在从事将温泉建立为治疗麻痹病人之永久疗养地。

一九二八年六月十五日，共和党全国大会在肯萨斯州举行，赫拔特·胡佛被举为总统候选人。六月二十二日，民主党会于霍斯顿选举候选人。罗斯福到泰克萨斯去为史密斯作竞选演说。在梅迪逊广场公园中，他支着扶杖作演说。在霍斯顿，他一手携手杖，一手扶着次子伊利奥特步进全国大会会堂。他受到极大的注意。出席大会之后他回到温泉去，他打算过几个月以结束他的休养，因为医师们相信如果他再休养几个月，一定可以进步到不用手杖也可以步行的。当时在温泉找冬天住宅还不可能，不过当地情形已经大加改良，常年已经造好了一座室内水池，这是福特夫妇捐助建立的，有了它，冬天也可以作温泉治疗了。

那年九月中，罗斯福在乔治亚作了两次拥护史密斯竞选的演说。他在九月二十六日在阿特兰达作过演说之后三天，梅尔华基方面来了一个长途电话。那是从西部竞选回来的史密斯特地来问他在夏季中愿不愿接受纽约州长的竞选。罗斯福说抱歉得很。他想在真正治愈疾病后再觅进取机会。

史密斯在十月一日回罗乞斯特的辛尼卡旅馆时，看到这一通电报：

前接电话，兹更有欲言者，余颇愿能参与本年州长之选，盖深知此举或能有助于君也，但有二事为余所深虑者：

第一，君之治纽约州，成绩卓著，该区选民自当投票选君任总统，余之竞选州长，固不足影响君在纽约所得票数也。

其次，余之医师等咸信余之健康能否改善，全赖余之避免寒冷气候，以及保持冬季中在温泉之运动。余或能因此于明年冬季不必再用腿架，但如余滞留于阿尔巴奈，即将无法求痊。余今行年方四十六，余深觉为余家庭及余自身计，必须继续目前之调养。余因此深致歉疚，表示余不能接受提名竞选之盛意，余知君定能曲谅下衷也。

富兰克林·D. 罗斯福

人们要罗斯福夫人帮忙，但是她不肯出面干涉这件事。这是她丈夫的决定，只有他才能作这种决定。可是，我们看到那年十月中罗斯福夫人在罗乞斯特一心努力于领导史密斯竞选妇女委员会中的工作，可以知道她实在是很希望她丈夫参与这次州长竞选的。

那时，罗斯福在温泉第一次不用手杖的支助走了几步路——这是他七年来第一次不靠一切自己步行的开始。

州中的首领们又举行会议，提出了很多人作州长候选人，但没有一个令他们满意的。他们觉得罗斯福是纽约所需要的人。

史密斯决心在十月二日，星期二那天再作一次尝试。罗斯福那天正计划出去举行野餐。晚上他要到离温泉最近的曼撤斯特一个集会中去演说。当他正在池中作运动时，旅馆中的侍者跑来说史密斯州长从罗乞斯特打电话来了。罗斯福告诉侍者说叫他告诉史密斯说他到外面去野餐了，整天不会回来，到什么地方去也不知道。

罗斯福野餐回来之后，看到了那一天中来的不少电报，还有几次电话，他的女儿安娜这时年二十二岁，已经嫁给了蔻蒂斯·B. 达尔先生，她打电报来说："请接受此项竞选。"她父亲打回电去说："你真该打。"在罗乞斯特，罗斯福夫人深深担心，怕她丈夫的拒绝会使史密斯失败而令她丈夫引为遗憾，同时也担心即使总统竞选胜利，民主党或许会在八年的成功功绩之后，失去了纽约州的治权，因此她允许史密斯和罗斯福交谈。他到底又进入政治的掌握中去了。被推举为副州长候选人的赫拔特·李曼上校，打了一下午又一晚上的电话，在乔治亚各处找罗斯福，都没有找到他。包甫凯拨西的汤麦士·兰区认为罗斯福夫人应该使她丈夫知道他的拒绝对政党的影响。政治……政治……

罗斯福那晚上正坐在曼撤斯特学校礼堂的讲台上听当地一位人士在他之前为史密斯竞选作的讲演。有人来说史密斯州长自己打电话到街角上一家药店里来了。礼堂中挤满了人，罗斯福无法出去。过了半小时之后，送信人又挤进人丛过来说史密斯州长还在电话边等待着。这时罗斯福自己正在演说中赞扬着在药店的电话中等他去谈话的人。主席俯耳低声说他不去接话，纽约的电话线将始终被占着。罗斯福停下来又讲了半小时才下台到药店中去。那边说话的是罗斯福夫人，她没工夫来问寒暖，因为她已经快要不能赶上到纽约去的火车了，她明天必须到纽约都亨特女子学校去讲每周一次的历史课。

天主教徒的富翁约翰 拉斯可那时被史密斯约任民主党全国委员会主席，他来说话时，线路不通了。机务员说要把这次电话接到温泉旅馆中去，罗斯福想这一下就解决了，因为通温泉的电话线向来很坏。但是当他拿起受话筒的时候，从罗乞斯特打来的电话中，拉斯可的声音可以听得很清楚，就像在隔壁谈话一样。罗斯福仍旧坚持主张。除了健康之外，他还有别的许多理由。还有温泉基金，他必须使它有个办法。拉斯可说他和他的朋友们会照顾这个基金的，然后史密斯又来说话了。他说纽约州长是个清闲差使。它不致耽误他的治疗。李曼也来说话了。他说如果他当副州长，不论什么时候，只要找他，他可以完全代理他处理一切。史密斯又来说话，算使事情转成对他自己有利了。罗斯福说他很少成功的把握。最后史密斯问罗斯福能不能赶到参加第二天的提名。

罗斯福稍一迟疑，史密斯挂断了电话。

第二天，罗斯福被提名为州长候选人了。他夫人从报上得知了这个消息。

詹姆士·罗斯福夫人说：

小白宫……倒像在举行葬礼。满屋凄凉，贺电迭来，但是农舍中没有人在。

最后，我听人讲，罗斯福兴高采烈地说：好吧，如果我必须要竞选州长，我讨厌它也没什么用处！

纽约共和党的报纸故作兔死狐悲的态度。《呼声论坛报》认为这次提名对罗斯福以及纽约州都是不公平的。《晚邮报》说拖罗斯福出来是一种无情的举动，它攻击史密斯说他“为完成自己的野心，牺牲了友谊”。

党全国代表大会后，史密斯到阿尔巴奈，在火车中对记者会议中说：“州长的工作是用脑的。百分之九十九的事是坐在桌子边完成的。”

十月五日，罗斯福作了一篇公告：

我听说外间有人努力鼓吹说我被史密斯州长“牺牲”了，来从事对他竞选有利的工作，并且说我的友人们应该投票来阻止这种“牺牲”，这使我非常惊奇。

我得在此说明：我并不是被州长硬架出来的，相反地，他完全了解我当初推却之意，他愿意放弃自己的意见，因为他生怕我作候选人不是我自己所愿意的。我之被推荐出来，原因是因为我党的首领们认为我常常表示自己对史密斯州长种种政策的信仰，他们觉得我之为候选人，是对投票人们表示这些政策必将持续的最好的保证。

我之接受这次提名，因为我党首领们和我自己都感到史密斯州长所建立的州政府以及它对人民所作的服务都濒于危境了。纽约必须保持它在行政效率以及民主政治领导上作各州先驱的光荣。这些重大的事，使人不得不忽视了一己的小小顾虑。我之参加此次竞争，并非为个人的光荣，而是为了要执行史密斯州长的种种政策。

我不相信向我个人的友人们呼吁会影响选举的。如果我要作任何呼吁，它该是：“我非但要友人们选我——如果他们是我的真朋友——我还要他们多拉许多人来投票选我。”

我相信这段话可以使竞选开始时所发生的荒谬传说消除。

那天晚上，他在乔治亚的哥伦布为史密斯演说。第二天晚上他在沃海奥的克利芙兰演说。十月十二日他在麻省的波士顿演说。十月十五日他在纽约演说。十月十六日他正式接受提名，十月十七日他在纽约的平汉顿发表第一次的竞选演说。事实上这已经是第七次了——因为那天他没有到平汉顿之前已经作了六次演说了。仁慈而同情的敌人们以为这位病人会受不了的。但是，竞选进行中，这位病人却越来越显得精力充沛。他滔滔地驳斥那些想把宗教偏见引入争论之中的企图。

一九二九年十一月一日，罗斯福在杨格斯作的演说是后代子孙们认为他确是在人类受难时有领导世界才能的人，他说：

在最后分析下，无论在全国或一州的竞选中，最大的争执是在于反对我的朋友胡佛先生的基本信仰，他以为一班公民群众是无思想及创造能力的。在全国大选中，纽约州的伟大州长正是反对这种信仰所可以实际举出的活生生的例子。

而在这一州的选举中，也发生了同样的争执点，因为共和党在一州中的领导，也是以胡佛先生这种信仰作基础的。我和民主党都否认在这一州中投票选举的男女们是没有思想和创造能力的。我认为投票人是有思想，有推动力，有创造力的，我之竞选州长，就以这一基本信仰作基础。

这是罗斯福对胡佛所著《美国的个人主义》一书的回答，在那本书里，胡佛曾说："导向进步的行动和事实乃是天赋给个别思想中的，它们并不存在于群众思想之中的。群众只有感觉，它没有可以进行计划的思想。群众只会摧毁，忿恨，它不会创造。个人在群众中没有思想，只有感觉，这是心理学上最深刻的真理。"

胡佛这种信仰自然可以引伸到希特勒实际用以达到

成功的地步，罗斯福的信仰却抑止这种信仰。如果美国失败，希特勒建立永久世界秩序的狂论将被认为非常正确了。

至于罗斯福个人方面，他对投票人思想能力的信仰在一九二八年并没有落空。他以二五五六四的多数票击败了共和党对手阿尔拔特·奥丁格。在另一方面，史密斯以一〇三四八一票失去了纽约，以六四二三六一二票失去了美国。四十八州中共和党把持了四十州。内战后，南部五州第一次投票选共和党人。胡佛可以满意地相信自己之当选大总统乃是因为群众觉得选一位天主教徒是不智之举。魔鬼将立刻使他的感觉得到较好的判断。因为经济难关，距他当选的一九二八年十一月六日不过只有十二个月。

第十章

直到那时为止，富兰克林·D. 罗斯福的进展非常简单，就似旧式戏剧中“善人得善果”那样的典型。他在格鲁顿，在哈佛，作纽约州议员，作海军助理部长，害麻痹病等时期中为什么做这件事或那件事，这一点不必在人类心理动机上觅取原因，因为物质生活的发展，使干练的心理学家毫无疑虑地找出了这一问题的原由。一切都可以从个人的美德，从不屈的决心，从非凡的生活力和与它同来的青年气息，从他欢愉的笑以及反省的耐性，从他的热情以及坚决的自信心中得到解释。要解释希特勒何以能引起别人的信仰，这是很困难的，我们对这问题不得不归咎于希特勒身边的亲近人物们，因为希特勒能够得人信仰，原是根源于这些人们卑下的动机。在另一方面，要了解罗斯福何以会引起别人敬仰，这是非常容易的事，但是我们发现他同样地会引起别人的忿恨时，不觉为之惊讶了。

罗斯福努力控制财富力量与消除特权势力，并不足解释他引起忿恨的全部理由。一九二九年一月一日他发表就职演说时，已经引起了许多仇敌者们的评讥，他们说他的获选为州长，是一种有计划的狡滑手段，牺牲前任者来提高他自己的地位。我们如果想起早在一九一八年罗斯福拒绝出任州长，以及一九二四年他再度拒绝出任州长的情形，不难想到一九二八年他的竞选是非常容易的。除了脑筋没被政治上的起伏风波所困乏的人们所想像的一位腿才康复，要继友人当权的人所自然发生的希望之外，在一九二八年十一月中，罗斯福放弃了他在民主党会议中所处的顾问地位（他自己对此并不感兴趣），这一举措在他自己看来是不是合宜，还是一个问题。他不能确定预估史密斯能被选任为总统：这是最乐观的人都无法预言的。他也许还以为自己竞选州长是不会成功的，不过他以为如果有一天他进行总统竞选，他早期的州长竞选失败对他不致有什么妨碍的。一九二八年时，霍威是反对罗斯福参加州长竞选的，因为他相信胡佛会得到纽约，罗斯福将在民主党的瓦解中失败。他决认为罗斯福应该作大总统，不过他计划中规定完成这一点的时候是在一九三六年，不是一九三二年。

有人以为那年十一月中史密斯把纽约州的事务交给他提出来的候选人，要这人来比他自己更完善地执行这一贱役，但是我们不能单纯地以为这是一时的反响。这是一种妒忌，而当一些渺小，满怀妒忌的人们用不满的毒素来滋养它时，这种妒忌似乎逐渐地滋长不已。或者把妒忌放在一边，我们可以说这位年事较长的人头脑中，逐渐发现那位青年人的政治信仰和自己相抵触。环境迁异后的人往往会变得很顽固，史密斯正从贫困变为富有，从东城冷僻地区迁到恩派亚国家大楼的热闹区去。这样一位转变了的，沉缅于舒适之中的革命绅士，很容易牺牲别人来求达到自己的野心的。那年一月一日在阿尔巴奈议事堂中，这位卸任的州长阻碍了正式举行中的就职典礼，对比他年轻的后继人说了一句话，这句话是有所含蓄的。“富兰克林，我恭贺你。我希望你能将你聪明的头脑，用来处理这一州中的各种问题。”

而继任史密斯州长的罗斯福说以下一段话时也是很

有意义的：

> 我确认为在积极改良我们的州政府，聪明，有效而光荣地处理州的事务，以及明了所谓“纽约州人民”这一主权所希望和需要的一切，在这种功绩上看来，本州的长久历史上，没有比他更伟大的。
>
> 对这位真正伟大的公仆阿尔法莱德·E.史密斯，我代表我们的公民表示热诚的祝福。祝他健康，祝上帝在未来的年月中庇护他……
>
> 你们选我代这位伟大的州长，在他领导之下，我们通过州的组织，对善意的男女们——由于他们的努力使我们有光明的未来——愿意供出，接受，并且协助一切。

但是罗斯福并不专门注意细微而虚伪的自贬。史密斯是一位伟大的州长。纽约州的人民选他的是代他。他也准备——如果纽约州人民们尽他们的责守——做一位伟大的州长。

他这样表白了自己的态度：

> 我们必须认清我们非但该注意我们同州人民的一切，并且要注意州政府本身。你们必须负起普遍的责任，看看在阿尔巴奈有什么设施没有办到，完成了些什么。你们必须明白在州立法会中所争论的一切，并且留意州长所提出的案件，由你们自己来判断它们是否正确。

无疑的，这位新州长急于推动纽约州人民使用他们的权利，已经在这段话中明白表示出他的决心，他非但要使人民们发展水力发电事业，并且还反对在共和党势力下的州立法会底保守作风，严格限制私人企业来干涉电力分配问题。

无线电播音日渐普遍了，罗斯福是以正直的精神，正当的程序，利用它作对人民演说利器的第一位煽动家。美国人不像英国人当初那样错误地禁止以无线电作民用广播演说。因此，罗斯福可以自由地借无线电建立起他和纽约选民间的关系。他并不必竭尽一切力量来引起人民对阻抑一位前进州长的敌对州立法会发生忿慨。一九二九年四月三日，他可以安静地坐在播音器前，这样说：

> 这是对本州人民报告一九二九年立法会议结果的第一次广播。作为全州选任的官员，我深感自己有使人民明了州政府一切进展情形的显著责任，而且我深知自己不仅是民主党的，而且还是共和党，以及本州全体公民的州长。因此，这一次以及我预计中在下星期发表的谈话在性质上说来是无党派的。我只打算报导事实，由州中人民们自己来下结论……

于是，他以非常动人的语调继续对每一选民解释阿尔巴奈共和党立法会和公共妨碍物之间很容易看出共同点来。

广播演说家是天生的，不是训练出来的；一位诗人很能从经验中学得不少东西，一位广播演说家自然能学得更多的东西。有天赋的罗斯福学会了如何运用它。

罗斯福在天空中翩然有如轻巧的燕了，他那种善于操纵广播的能力，使他能操纵一二〇〇〇〇〇〇〇〇人民的注意力。他在广播中从没有激动听众的情感。有时候表示出的忿慨，就像一个人对另一个人批评隔壁邻人的愚蠢行径一样。无疑地，在准备这许多炉边谈话时，其中蕴藏了非常成功的技巧；但是如果我们以为罗斯福是借念一篇事先仔细准备好的稿子，以此来和听众们建立起密切关系，这种看法是很可笑的。也许在最初他并不是亲自写全篇演词的。也许在作他一生传记的研究的人们时常发现他有这句或那句话是别人写的，但如果真是这样，罗斯福还不失为一位非常优良的演员，因为他所说的每一句话，就完完全全像罗斯福自己的话一样。这是一位读过了六千余页的《富兰克林·D. 罗斯福演说集》的人所说的。不过，"炉边闲话"这名词并不是罗斯福创始的。这是一张报纸上用的名词，他用这名词来称呼"我对全国人民——即使是在盛夏的黄昏时分——所作的广播报告"。他一直到宣誓就大总统职之后八天，对人民演说时才正式用这个名词。那时以后，他所作的若干"炉边闲话"也许还显示他和听众们都坐在灼热的火山上呢。

如果我们说罗斯福大半依赖广播，我们也该知道他并没有忽略报纸，报纸就大体上说来是对他采取敌对态度的，但这只是由于各报所有者的成见，而罗斯福自己和报人们却保持着很好的友谊。

为了节省篇幅起见，我们在此不必详述罗斯福两任纽约州长时期中的情形，我们只须说他在州长任内的一切措施，正预示他日后任大总统的一切措施。

他在《演说集》第一集的序言中说：

> 我们要知道和联邦政府比较之下，州政府的活动是非常有限的。农业的复兴，劳工的保护，公用事业的维持，经济安全的维持，投资者及银行存款的保护……这种种由州方采取的行动的范围自然是由该州的疆域以及它邻近各州是否予以协助等种种情形来决定的。
>
> 任何一州中所采取之限制商业、工业以及财政上之措置，不得妨碍其邻州之商业、工业及财政。在这一方面的注意以及尊视，有时可

以趋于不必要的极端化。事实上，革新措置的对手们已经走在前面……他们认为稍稍离开自由竞争的原则，将使他们那一州的工商业失败而转入别的方向去。

我常怀疑为什么在纽约州提前实行社会立法时，没有大量的商人们把自己的组织迁出纽约州去。但是却有少许人在其他地区内设法压迫贱价劳工，不顾人道，来到纽约和别人竞争……

在这一个集子中，叙述了我在州长任内如何完成老病保险，水力发电，公用事业登记，借公共事务解决失业，失业保险，劳动时及工资规定，辅助农业，土地计划及运用，盲人及残废儿童等等之援助，以及其他为进步之政府所应采各种措置之设施经过。经过这种州中的措置发展而为新政，乃是非常自然的步骤……

在纽约，以及日后在国内，我所以能完成革新及进展，完全因为人民们准备接受它们，需要它们，而且乐于协助我来执行人民的意志。作为州长，我时常必须呼吁人民的支助来对付州立法会，有时还须对付报纸上一致的反对。有几次，立法会通过的乃是人民加压力于共和党领袖们身上而得到的结果，人民的意见在必要时，会毫不迟疑地表白出来，而且有方法来表白。

那时我用无线电非但直接向人民呼吁，并且还详细叙述了立法情形，这些是我的报纸报告中所没有的，也是我在总统任内运用无线电的开始。……广播被证明为与人民直接发生联系的工具，在我之前只有两位总统能得利用它。它是接近群众最有价值的工具，我相信在未来它也有无穷的价值。

无线电使一九三〇年罗斯福州长获得七二五〇〇一的多数票连任纽约州长。

史密斯州长以三八五〇〇〇票当选纽约州长时，得票之多，打破了以前纪录。现在，就在一九二九年秋天的大难之后，竟有人造成了两倍于前人的纪录了。

从那时起，在一九三二年有提名为总统候选人的十几个人中，富兰克林 · D. 罗斯福总是受人欢迎的。“阻止罗斯福”运动开始了。仁慈，温和，漂亮的温泉病人奇格尔医师（史蒂文生小说:《化身博士》中的主角）一晚上就在沙德公园中变成了怕人的哈德先生了。阻止运动者们读了华尔特 · 李普曼的政治论文，说他是一位温文绅士，没有作总统的条件，心中都暗自告慰。但是它正如一九二九年十月中证券交易所外的风潮（它摇撼了美国财政基础）一样地不可思议。自由之神像在震动了。

第十一章

当罗斯福再度被选为纽约州长时，“阻止罗斯福”运动立刻由代表都市市民的民主党人发起，继续演进着，在这一争执中，我们可以见到不少非常坏的人物。

一九三二年六月底民主党全国代表大会在芝加哥举行，在这以前几个月中，东部的政治斗争非常出奇，读者既难以全体来推断个别情形，作者也难个别研讨。不过有一个事实是必须认清的：在这十八个月之中，罗斯福在政治的拳斗技术中，充分显示了他的精巧，几度使世人明白他是当时政治的重量拳斗中出色的人物。现在他正在参加世界拳斗锦标赛，我们该记住当时的事。

罗斯福在政治拳斗中的精湛技术，使他在芝加哥候竞取提名时获胜，但是决定他在候选竞争胜利后一定可以进入白宫的，却是他在一九三二年四月七日的一篇广播演说。

罗斯福四月七日的演说，是在民主党全国委员会主催下，在阿尔巴奈发表的，它意在向共和党挑战；但它也似乎是对民主党挑战，因为那时他还没有被举为总统候选人。它是一篇短短的演词，大部分在批评高税制度，批评农民购买力之减削，批评联邦政府牺牲小商业而讨好大银行，铁道等组织。

但是使他获选为大总统的却是这篇演词中的四段话：

> 十五年以前，我的职务使我在一个国家紧急时期——世界大战——中积极参加工作。那时的成功是由于一位领袖，他罢斥了胆怯的姿态，派送了一百五十万精兵和正规海军去援助我们的盟国。当时全国为战争动员起来，经济，工业，社会，军事，各种资源集合成一个庞大的单位，使千百万人能有一万万一千万人的支助而作战。那是个伟大的计划，因为它是从下至上，而不是从上至下地建立起来的。

我冷静地判断：认为国家今日所遇的困难，比一九一七年时更为严重。

据说拿破仑在滑铁卢所以战败，是因为他忘记了他的步兵——他太倚赖于比较好看而并不实际的骑兵了。目前华盛顿政府的情形正和它相似。它不是忘记，就一定是不想记起我们经济军中的步兵们。

这个不愉快的时期，需要有已被忘却，没有组织起来，但是又是经济力量中不可少的单位作基础的种种计划，需要有像一九一七年那样从下至上，而不是从上至下的计划，需要当局再把信仰寄托在形成经济金字塔底层的那些被忘却了的人们身上。

这是在希特勒过四十三岁生辰前两星期所说的话。三天之后，希特勒把兴登堡拉向德国总统座上去，心中知道他胜利之时已经不远了。

这演说给"阻止罗斯福"运动一种刺激。半月之后，在华盛顿一个杰佛逊日的宴会上，阿尔法莱德·E. 史密斯宣称他要和任何引起阶级斗争的人一见高低。他没有提起富兰克林的名字，但是麻省，新泽西，康乃克的克特以及匿的岛方面人士，都知道他的意思；如果史密斯说罗斯福不好，他一定被认为不好。在竞选前一天晚上，麻省派到民主党全国代表大会的代表马丁·路马赛声称罗斯福是个贵族，煽动者，欺诈者，他中了麻痹之毒，想用它来引人同情。第二天，四月二十六日，麻省民主党人到票场中去选举三十六位代表，他们全拥护阿尔法莱德·史密斯。

一星期前，在明尼苏打的圣保罗，罗斯福参加杰佛逊宴会，曾经说过：

> 杰佛逊的路易斯安那购买案使这一个国家的区域大为扩展，人民因此得到很大利益。但是它同时使指导管理这一个国家的人士们，担负起严重的责任。在平时，我们像是生活在区域主义的孤立状态中。全国成了各种社团形成的散漫组织，没有共同的思想，不知道相互间依赖的重要。

这种情形使我想起乞斯德顿关于不列颠帝国的话。他说这些帝国各份子就像在一部公共汽车中的乘客。只有在发生意外时，他们才相互认识起来……

两礼拜以前，我说过我们今天面对的局势比上次大战时更严重。这话，我今晚要在此地复述一次……

我以为对全国人民所作的呼吁，应该是这样的:“如果三年来我们是坐了一辆老要修理的破车，任它两轮着地，滚下山去的话，我们现在应该改乘一辆新车，四轮着地，向山上开去。”

霍斯上校说罗斯福由于在各地的生活经验，成了一个美国地理学者，这话是对的。

六月十六日，共和党全国代表大会默默地在芝加哥举胡佛连任为总统候选人。自从一九二〇年以来，共和党使全国情形混乱不堪。大商业和金融界无法使胡佛在直截的竞争中得胜。阻止罗斯福的唯一途径只有分裂民主党——就似一九一二年西奥图·罗斯福分裂共和党那样。大商业和金融界的希望集中在史密斯以及东部富有民主党人们身上。他们的计划是以史密斯在新英格尔以及在纽约的六十余票（该州二十八张票是一定归罗斯福的）阻止罗斯福，使另一位牛顿·D. 倍格为候选人。西部拥护罗斯福的票数将被“压抑”，民主党的选票为罗斯福及倍格二人平分，民主党分裂，胡佛可以当选。这种结果可能造成全国流血的纠纷，那是大商业和金融界们所要取得的机会。

牛顿·倍格是一位和平主义者的律师，一九一六年曾被威尔逊委为陆军部长。直到一九二〇年为止，他一向支持理想主义，该主义失败后，他投身于大商业怀抱中去了。

自然，倍格从没说他要接受候选竞争。如果有人举他，他出于单纯的爱国心，也愿接受。公平地说来，史密斯承认罗斯福是最根本的威胁，如果他自己竞选总统失败，只要见到比他年轻的对手也失败，他就很高兴了。

六月底，民主党全国代表大会继共和党之后在芝加哥举行。早二十年的六月中，牛麋派也是在芝加哥发难而在八月中举西沃图·罗斯福为总统候选人的。一切是有点像历史的重演。

大会中第一个斗争是关于禁酒问题。撤销第十八条法案该列为民主党竞选政纲之一吗？赫尔先站起来说话了，当史密斯驳赫尔的话之后，他以为自己已有把握当选为总统候选人了。新英格兰方面拥护史密斯的人们声势自然是很浩大的，但是与会的二万五千芝加哥当地人士（这对史密斯是很不幸的）没有投票，这是一种鼓励的呼声。将废除禁酒令列为政纲之一的议决案乃以三十五对十七票通过。

罗斯福选了约翰·E. 马克为他作竞争演说。马克一向是罗斯福作各种竞选时的介绍演说人。一九三二年，他说：

> 生于美国，爱美国的这位人物的全部政治生活乃是一本公开的书。他的声名卓绝，品性毫无玷瑕……无论作一位青年，作一位学生，作一位律师，作人子，为人夫，为人父，作一

位立法者，作一位行政者，他都配得上美国人格的各种传统。

马克更进而指出：

目前在他旗帜下的姐妹州有：华盛顿，奥立贡，尼伐达，阿里佐那，伊达荷，乌打，新墨西哥，考罗拉图，约明，蒙他那，北达柯达，南达柯达，尼勃拉斯加，肯萨斯，明尼苏打，伊沃华，阿堪萨斯，路易斯安那，威斯康辛，肯塔基，泰尼斯，密西失比，阿拉巴马，乔治亚，佛洛丽达，南卡罗林那，北卡罗林那，西浮琪尼亚，本雪文尼亚，密支根，伐蒙特，新亨勃西亚，梅茵，以及第拉瓦。更加上阿拉斯加，哥伦比亚区，夏威夷，浦托·里加，浮琴岛以及巴拿马运河区。

麻省州长埃莱现在步上播音机前发表他为史密斯作的滔滔的竞选词，这是史密斯正在芝加哥旅馆中听广播，罗斯福州长也在阿尔巴奈行政厅中听广播传来的演说：

在他失败后谁来重组党机构的？谁来进行斗争的？谁来决定局势趋向的？有头脑，有力量，有领袖能力，有亲切心，有组织力。为什么停留？为什么迟疑呢？

难道有什么远年的鬼在这会场中操纵了你们的头脑，心思，和良知了吗？难道恐惧的鬼怪抓住你们了吗？……

我为麻省的公民说话……我相信自己是代表工业化东部的情感的，我们清教徒的祖先们反对将政府委托给宗教观念不同的人们，这种偏见，由于我们从这位人物身上得到的经验上，证明我们可以完全放弃它而很安全地将政府委托给这样的一位人物。

我们必须结束可以怀疑的政府；我们要建立一个有决断，有行动，进步的政府。为了民主党，为了美国，为了人类的需要，我向大会提出阿尔法莱德·E.史密斯的名字。

在热烈情绪中，从前宣称效忠史密斯的各州都把旗帜举了起来。麻省，康乃克的克特，新泽西，匿的岛，以及菲律宾准州，还有三分之二的纽约代表（比任何最大州的代表人数还要多），都走入史密斯行列中了。

其他的候选人名也逐一被提了出来——浮琪尼亚的白尔德州长；玛丽兰的瑞启州长；沃海奥，奥克拉玛，来苏里等州所拥护的人物；其中更为重要的有参议院议长约翰·南斯·迦纳，除了泰克萨斯本州的四十六票外，他还得了由麦卡图领导下的加利福尼亚州的四十四票。

在沉闷的整夜开会之后，经过了三次投票，罗斯福已经得了六百八十二票。他须要再有八十六票，即可得到为候选人所必须有的票数，但是史密斯方面似乎没有后退的表示。

罗斯福的竞选经理人大詹姆斯·A.法莱（他是从纽约来的禁酒而并非绝不沾酒的天主教徒）和路易斯·霍威都非常焦急。他们不要一个长久相持的斗争，因为长久斗争的结果，纵使罗斯福得胜，对他总统竞选时仍是不利的。它将使党中分化。而且还有牛顿·倍格在一旁伺候，史密斯之反对罗斯福，正给予另一位候选人大好机会。在密西失比，伊沃华，阿拉巴马及考罗拉图方面，有人正在散言要支助倍格。沃海奥可能立刻转向另一位它所拥护的人那边去。如果第四次投票还没有结果，立刻会发生分裂。泰克萨斯和加利福尼亚为什么捏紧那可贵的九十张票不放手呢？

六月三十日，波士顿市长詹姆斯·M.蔻雷（他自始至终是拥护罗斯福，为他在麻省进行竞选的）打电话给在加利福尼亚的报纸巨子威廉·伦道尔夫·赫斯特，后者是支持迦纳的。

“迦纳先生不能被举为总统候选人了，”蔻雷市长告诉赫斯特说道，“但是如果你改而支持罗斯福先生的话，我可以保证迦纳可以被推为副总统候选人。事实上，我已经准备为他而进行斗争。”

赫斯特对罗斯福的态度是否因为这一次电话即改变，这是我们所不敢断言的。我们可以确言的是那晚赫斯特打电话给在芝加哥旅馆中的麦卡图，麦卡图又打电话给在华盛顿的迦纳议长。第二天，轮到加利福尼亚宣布的时候，麦卡图修长的身姿出现在讲台上了。

“说响一点。”会场中大家喊道。

“我要说得更响一点，”他说，“加利福尼亚到此地来推选美国总统候选人。它不是来使这次大会濒于死境，也不是来使一九二四年的情形再度演出的。全国的利益最好是能在有力的时机被拯救过来。如果在此地的竞争延长，结果徒然引起不少疑虑。当一个人带了近七百多的票数来参加一个全国代表大会时……”

这时，示威运动进行了半小时，阻挠了麦卡图的话。支持罗斯福的人们知道这话的意思，十分欣喜。全场沉静下来时，麦卡图说：

“加利福尼亚，四十四票，赞成罗斯福。”

投票继续进行。

芝加哥市长安童 · 施马克说：

“伊利诺斯，三十八票，赞成罗斯福。”伊利诺斯五十八票中还有少数支助史密斯的。

轮到梅茵了：

“梅茵到那里，工会也到那里。梅茵，十二票，赞成罗斯福。”

欢呼声更高了。瑞启州长把玛丽兰的十六票投出赞助罗斯福了。

埃莱州长上了台：

“麻省，三十六票，赞成史密斯。”

大会中给他这种固执以一阵欢呼。

于是，轮到新亨勃西亚了：

“新亨勃西亚是决定胜者的第一州。新亨勃西亚，八票，赞成罗斯福。”

这里我们要知道那时新亨勃西亚方面共和党的州长是约轮 · G. 魏南特。

“新泽西，三十二票，赞成史密斯。”

“匿的岛，十票，史密斯。”

“泰克萨斯，四十六票，罗斯福。”

僵局打破了。富兰克林 · D. 罗斯福以九四五票对阿尔法莱德 · E. 史密斯的一九〇 · 五票被举为总统候选人。但是，那时史密斯方面还是不使全国一致。

史密斯自己在旅馆中听着经过情形，麦卡图说话时，他知道已无希望。他回身吩咐随从人员们收拾行李。他不作一语，回到纽约去。

在总统竞选中，阿尔·史密斯作了一二次拥护罗斯福的演说；但是他绝对不相信罗斯福是危难时期中的适当人物，不久之后，他协助建立美国自由协会，目的在保护个人对付政府。

罗斯福从纽约定了飞机赶到全国大会中去接受提名，这种态度一半是由一时的热情，一半是由想把一切显得戏剧化的企图所激发起来的。他一定真正希望尽快地推进加在他身上的工作。由于一阵暴风雨（这是当时全局的象征），他在七月二日黄昏到芝加哥，较预计时间迟了许多。

主席华尔希先生，一九三二年民主党全国代表大会的朋友们，我对各位在六天的辛苦后仍愿留在此地的情意，深致欣感，我知道各位和我一样，一直没有好好睡过。我来迟了，衷心十分歉疚，不过我没法操纵风云，而只能感谢我所受过的海军训练了。

全国代表大会提举的总统候选人亲自出席大会，听候正式宣布当选，这是空前而非常的事。但是现在正是一个空前而非常的时期。我打破了已往候选人常守的不通习惯——对几星期以前发生的事，在没有正式通知以前，装作不闻不知的样子——，这就是我开始了面前工作的第一步……

从今天起，本党应以破除无意义的传统为任务。让那些善于失信的共和党领袖们再失一次信……

“现在，我在此地对那些名列共和党，在良心上不能随他们领袖们乱撞而陷于失败中去的人们，表示欢迎他们和我们携手；而同时，我以同样的态度警告念念于过去而无视于未来的，那些不明了新时代所给予他们的责任的挂名民主党们，他们已经不能和党取同一的步调了……

共和党领袖们告诉我们说经济法规——神圣，不可犯，不可变的——所引起的痛苦是不可防制的。但是他们大谈经济法规时，无数男男女女正在饥馑之中，我们必须认清经济法规并非天然制定的。它们是人类所造成的……

我要各位和我自己保证为美国人民建立一个新政。让我们在此聚会的人都成为勇敢而胜任的新秩序的先知者，这不仅是一个政治竞选；这是一种战斗的号召。帮助我，非但要赢得选票，并且要在这次讨伐中得胜，把美国交还给它自己的人民。

当罗斯福提出新政的诺言时（这新政一词，是他在阿尔巴奈行政厅中，在闷热的夜里和家人知友听取全国代表大会广播时所发明的），他是充分地相信自己有完成这一诺言的能力的。我们可以说在一九三〇年十一月纽约州大众选他连任二任州长时，他已经相信自己在一九三二年中将被选为大总统了。

罗斯福决定如果他被选为总统，他一定要有一个明确的政纲。当他在一九三三年三月中从赫拔特·胡佛那双麻木的手中接过舵的时候，他也许并没有看到未来经济形势可能恶化到什么地步，但是事情恶化得很快，使他不得不作应付困难时期的准备。因为这个原因，他聚集了许多专家，这就是一般所称的“智囊团”。政治方面的人物是与路易斯·霍威商讨后选择出来的，他们的工作是争取选票。智囊团的工作是使这些选票不是在虚伪的外表下取得的。

主要人物有哥伦比亚大学公法教授雷蒙德·摩莱，他是极有名的犯罪学家。罗斯福最初请他计划纽约的标准假释判度。一九三一年末，他请他监察竞选材料的准备事宜。摩莱从他学校中又拉来两位人物——莱克斯福·杜威尔，他是经济系的教授，和阿道尔夫·奥古斯多·柏尔，他是法律系的教授。英国政治舞台中不信任智识人物的意见，这种风气也在美国流行着，而智囊团自难免为世人所责难。智囊团并不全是彬彬学人。罗斯福的顾问们虽然都很聪明，但大多不是学者。不过，这三位教授却特别受外人的注意。

智囊团的工作，可以由赛默尔·I. 罗森曼法官（他也是该团合作人物之一，曾任罗斯福州长两任顾问）所编集的《罗斯福文告演说集》中看到一般。他们完成了伟大的工作，这是无人可以否认的；不过如果没有合适的总统候选人，他们的工作也就无效了。也许我们可以说不论对手是谁，在大选前六个月时，胡佛已经失败了；但这并不足以说明罗斯福何以一旦当选后，又能以史无前例的多数票连任的原因。智囊团的工作也不足说明这一点。事实上，唯一的解答只能从这位人物身上找到。

特别是有一篇由智囊团和很多人们所拟的演说。那是他在一九三二年九月二十三日在旧金山的共和国俱乐部中发表的，如果一篇演说可以使一个国家准备革命的到来，那么在共和国俱乐部中这一篇演说，就是属于这一型的。

作者写到此地时，各处传来对一九四三年一月七日罗斯福大总统在第七十八届国会的演词所作的批评，表示出全美人士因为看到这一篇讲话中没有一点偏颇性质，都深感欣慰。共和国俱乐部那次演说的重要性不在它对竞选的影响而在它使罗斯福的哲学得到了被视为正确的根据。如果他错误了，他在投票前已经毅然负起了错误的冒险。

关于政府的争执，常是个别的男女们该为

一个政府或经济体系服役呢，或是一个政府或经济体系应当为个别男女服役而存在……最后断言并不是任何个人可以说的。但是我们仍相信变更和进步。民主政治是一种探求……一种对优良事物的不断探求。

杰佛逊，他继续说道，认为人民有“两种权利，一种是个人权能，另一种是个人财产之取得及保有权”。他们说的“个人权能”是指自由思想的权利，意见之形成及发表的自由，以及个人依据个人权利而生活的自由。为了保证第一种权利，一个政府必须使它的作用不致干涉个人。但是杰佛逊也知道财政权的执行可能阻挠个人的种种权利，政府没有这种财产权利即不能存在，政府要干涉，但是不能摧毁个人主义，它必须保护个人主义。

各位都熟悉那时以后所发生的政治大斗争；那时汉弥尔顿和他的朋友们如何积极建立集中的统治权，而终于在一八〇〇年大选时为杰佛逊先生的政党所败。经过那次争斗之后，我们今日所知的共和和民主两党形成了。

于是，在美国政治生活中开始了一个新的时期，这是个人反对体系的时期，也是个人主义被奉为美国生活中一大口号的时期……

直到十九世纪中叶，才发生了一支新力量，建立起一个新的梦想来。这力量就是所谓的工业革命，是蒸汽及机械的进步以及现代工业的创始。这是一个经济机械的梦，可能提高每一人员的生活水准，使很卑微的人们都能得到繁华的生活；用蒸汽力和电力来消灭距离；把每个人从笨重的苦工之中解放出来。

罗斯福更继而说明“有伟大意志力及伟大野心，具有天才”的人们，必须被运用来实现这种梦想，在扩展期中，一切人都有平等的机会，政府的工作不在阻涉而在协助发展工业。

吾人看看今日的情形，就很明白地看到机

会平等……已经不复存在。我们的工厂已经建立起来了；现在的问题是在现存情形下，工厂是否建立得太多。我们早已到达最后的边界了。

……正如农耕自由已经中止一样，商业的机会也已经日渐狭隘了……如果集中的过程依然以同样的速率（像过去三十年中一样）前进，一世纪后，全部美国工业将在十几个会社操纵之下，也许只由一百多个人主持了……

这一切都需要再来一次估价。……我们目前的任务不是自然资源的发明或采发，也没有作更大量的生产的必要。它是更重建高一级的……安排资源并处理目前工厂，寻取我们过剩生产区的市场的途径，解决消费力低落问题，调整生产消费，更平均地分配财富及生产品，使现有经济组织能为人民服役的工作。行政开明的日子已经来到了……据我看来，政府在和商业上的关系上说来，它的任务是协助一个经济上的权利宣言，一个经济上的宪法条文的发展……

在这可称为划时代的演说结尾时，罗斯福（虽然在那时似乎没人了解）以现代的口吻来复述杰佛逊在独立宣言中所提到过的社会契约论，他说：

> 每一个人都有生活的权利；这就是说他有使生活舒适的权利。他也许因怠惰或犯罪而未能执行这一权利；但这并不能使人否认他之具有这种权利。我们没有真正的饥荒或歉收；我们的工农机械化已经能生产足供消费的物品。我们的政府以正式或非正式，政治的或经济的方法，给每个人一条路，使能以自己的工作，来从丰富的物资中取得他所需的一切。
>
> 每一个人对他自己的财产有一种权利；这就是说有一种在最大限度内保证他的储蓄安全的权利。除此之外，人们无法承受人生中自然而来的育幼，疾病以及衰老的重荷。在有关财产的各种思想中，这一权利是最重大的；其他

一切财产权利对它都该让步。如果依照这种原则，我们必须限制投机家，操纵家甚至金融家的活动，我相信我们必定认为这种限制是应该的，不是打击个人主义，而是保护它……

这高尚契约最后条文是为了自由和快乐的追求……我们明白如果在损人益己的情形之下，他人自由和个人快乐是毫无意义的。我们知这在任何情形之下……阅读、思想、谈话以及选择生活方式的自由权利必须受绝对尊重。我们知道任何损害这种基本权利的自由行动，是任何约文所不能偏护的；在这方面，政府工作是在保持平衡，在这种平衡之下，每个人都能取得自己所需的位置；能得到所需的安全；都能按他能力而得到权力，这种权力是和他附带负起的责任同来的……

政府须有一种能制定（这样）一种得到一般人拥护的政策；不断地劝告、领导、牺牲、教谕，因为一个政治家最大的责任就是教育。

罗斯福认为一个世界最大的民主国如果不愿在精神上与物质进化取得一致步骤，它不是分裂为两个州的集团，就将进而演化为共产主义或法西主义。我们该记起一九三二年时，墨索里尼的实验也有相当的成功。当时这种实验没被人完全了解，因此它只能在意大利国外冒险以求进展。希特勒在那时也成了保守的论调中认为是最有希望解决德国混乱的人物了。

罗斯福不能不注意到从前以暴政压迫殖民地，引起美国独立宣言的国家，现在竟比由那些殖民地中发展成的强大国家更为自由了。他不愿把这作为事物的合理情形看；但是他觉得一位人物必须负起唤醒美国政治良知的巨任。政府必须能成为政治生命的表现。

我们所以对罗斯福早期事业作较长的叙述者，因为在作者看来，它们是了解今日罗斯福地位的基础。他必须由他的行为来判断而不能以理论来批评。他天生对别人的情绪颇能预感，归结起来使我们认他为一位绅士。他很幸运地有着使他能表现这种感觉的机会的父母。他很聪明地选择了一位夫人，她慢慢地赶上了他的政治观念，能够稍稍地留在这些观念之前。罗斯福夫人常常提供比她丈夫更为激烈的看法，这使罗斯福不得不永远前进着。这无疑的，也是他天性关系，但是如果他偶然有在政治上后退，对政治生活讨厌的心思时，看见他夫人的榜样，他就不得不振作了。今日世界上应引为满意的，就是现在罗斯福大总统的思想毫无硬化痕迹，这在同时代的政治领袖中是很难看到的。有些批评者说他太易于受人影响。如果他保持着自信力，这又有什么关系呢？而且没有任何批评中显示出他会丧失这种自信力的。这是说他不怕犯一点错误，而如果他在执政中没有犯一点错误，那无异是说他是个超人，而美国是个超人的民族了。

一九三二年九月中罗斯福在共和国俱乐部发表那篇演说时，似乎并没有注意到在一九三三年三月中他引用这种政治理论到实际情形去时可能发生的纠纷。他似乎是在安下一个在威胁性的经济危机被有力而合理的行动所移转后的长期政策的主要指示。这篇演说和他在任纽约州长时发表的就职演说有一点相似之点，它们是要求一个长期政策的理想。

一九三二年秋天，美国国内经济情形很迅速地恶化着，环境加速了它的步调。十一月八日罗斯福在选举团中以四十二州对六州，在选举中以二二八一三七八六票对胡佛的一五七五九二八六票当选为美国大总统。规定在十一月大选后，新总统于次年一月二十日启职，新国会于次年一月三日就职，而第二十修正法案，当时正在批准过程中。因此，直到新总统在开年三月四日正式执行职务那时为止，人民除了面对着恶化的经济局势之外，还须忍受一种新旧交替间青黄不接的时期。那时欧洲对美的战债问题，已经非常尖锐化了。

罗斯福虽然明白宣称他“欢迎胡佛总统在外交上所采取任何探讨式，或初步调查式的步骤”，但事实上他却很聪明地避去了胡佛请他参加任何有关战债问题的，善意的邀约。

二月十五日，在佛罗丽达水上度过一个短短的钓鱼假日后，新总统到了美阿米。在那里，一个疯人对罗斯福连射了几枪，人群中受伤的有五人，一位是芝加哥市长安童·施马克，当时他正站在罗斯福身边。在民主党全国代表大会中领导伊利诺斯拥护罗斯福的就是这位施马克。他在倒地垂死时还低声说：“我很高兴！因为打中的是我而不是你。”

远在德国，另一个杀人的疯子，在罗斯福五十一岁生辰时做了德国国务卿，他这时该已经听到了戈林火烧国会的炸药阴谋，这阴谋用意在使他能在三月五日掌握大权，解决选举问题，三月五日正是美国总统就职后一日，历史上罕有这种不吉的偶合事件的。

美阿米行刺案发生之前一日，密支根各银行在州长所谓休假的名义下，全体休业。二月二十五日，玛丽兰各银行也都关门。此后直到三月四日，纽约，伊利诺斯，麻萨诸塞，新泽西及本雪文尼亚各州的银行都宣布休假，它们过了周末依旧不断地休假着，其他各州中，几乎每天都有银行展限兑付。

这就是在三月中一个早晨，罗斯福在华盛顿所面对的一个为经济沉疴所打击的国家的情形。一位传记作家在写这段文字时，宣称在美国没有第一个人能像他这样（以他说话的声音和他所说的内容）使全国团结一致，这话并不是出于冲动的。

第十二章

一位外国观察者，即使他是一位权威的经济学者，在讨论罗斯福对美国国内经济的措置上的得失时，不得不十分审慎；但是他虽然是门外人，他和美国人士同样地微感到不耐，这是可以原谅的，因为他们很快地忘记如果罗斯福大总统在一九三三年三月四日能够吓去了当时的恐怖，他们也许不致于抱怨国内经济的管理机构了。

也许最公平地表现当时情形的看法，是录下总统自己的话，他并没有夸张。

> 在一九三三年三月前几个月中生活过的人，不必再听别人讲述一九二九年崩溃之后的美国经济生活的困窘情形了……到总统就职

日那时，美国所有银行完全关门了，一切财政事务完全中止了，工商业完全低落到最低的水准之下去了。和经济崩溃同来的大批失业情势的扩展，更使人有陷于绝境之感。我主要是在寻觅……尽最大可能地，消灭目前以及未来紧抓住美国人民和美国精神的这种恐惧。

罗斯福总统在一九二一年八月中说这样的话倒是很偶然巧合的，那时他正在等待医生的诊断，他说："我主要是在尽一切可能觅取消除紧抓住富兰克林 · D. 罗斯福身心的，目前以及未来的恐惧。"这并不是故意把他自己有一个时期中所遇到的情形和一九三三年三月中美国的情形相联。只有在小说中或戏剧中，作家们为了自圆其说才会作这类的对比的。我们记得舆论说他很平凡而并不出众，很浅薄而并不深刻，很易受感而不善感人，委婉而不彻底，温柔而不严苛，感情化而不实际……等等，这在外表上看来倒是很好的。他自己对一九二一年八月中第一次觉得腿有点麻木那时起，一直到一九二八年十月中接受纽约州长候选竞选时止，那一时期中保有着他意志力量和决心这种情形，非常感到满意。从那一次偶然的事情上看来，也许在病后他的自信力不如以前那样明显。我们以为一切都因为这位人物对他自信的权利估计得很高。这种权利受了最严厉的试验。小儿麻痹症使他有一生失业的恐惧。小儿麻痹症早将他的雄心闭锁。小儿麻痹症使他失去了以前的生活经验。小儿麻痹症使他失去向生命中购买的力量。小儿麻痹症使他体味到和贫困相同的艰苦经验。他从这种困苦病难中爬到了显著地位上，面对着一个在林肯以后没人遇到过的，全国危难的时期，他可以从自己困苦的生活经验中得到一切来无视于一切危难的恐惧心理，同时他很明白国人无法嘲笑他，说他没有感受过这种困苦的时期。

现在是忠实而勇敢地说出真理，说出全盘真理的时期。我们不必因为面对今日国家的情形而有所畏缩。这伟大国家将和以前那样继续存在，而且将重生，将更为繁荣。因此，我确定地说一说我自己的信仰，我以为我们该怕的就是恐惧心理——一种无名的，没理由而不合理的恐惧，须有绝大努力才能转后退为前进。在我们全国生活陷于黑暗时期中的每一阶段中时，忠实而有力的领袖常能获得人民的了解和支助，这是走向胜利的主要条件……

我自己和你们大家都以这种精神来对付我们共同的困难。感谢上帝，这些困难完全是物质方面的。价值低落到疯狂的水准之下；赋税已经增加；我们付赋税的力量低落；各种政府机关收入都不为减削；一切交易手段在贸易中完全冻结；工业企业的枯叶到处皆是；农民的生产品没有市场；成千万家庭在多年中的积储都丧失了。

更严重的是无数失业公民面对着生存的严重问题，而很多人劳动着，却得到几等于零的收入……

愉快非但存于金钱的保有之中；它还存在于完成一件事物的欣喜中，在创造性努力的激动中……我们最伟大的基本工作是要使人民们工作……

在世界政治中，我将以这个国家和我们善良的邻国的政策相并而驰——善良的邻国坚决地尊重它自己，因此它也能够尊重别人的权利——它尊重与世界其他邻国所订定的条文以及它该执行的义务……

我知道我们愿意将生命和财产交付给……纪律，因为它使一个目的在求得更大的优良条件的领袖可以行使职权。我现在提出诺言，担保这伟大的目的要被视为神圣的责任似的被我们遵守着，必要时我们可以进行武装的斗争。

作过这个担保之后，我毫不迟疑地担任起我们人民的伟大军队的领袖，来对付我们共同诸问题所引起的有组织的袭击。

由于宪法规定的责任，我准备提供一些在凋疲的世界中一个凋疲的国家所需的种种处置。对于这种处置以及国会由它的经验或智能中所决定的其他处置，我将负起我宪法上的权能，尽速付诸实现。

但是如果国会未能负起这种使命，或者国家的危机仍旧非常严重的话，我绝不躲避我自己的责任。我要要求国会给我另一件对付危机的工具——对危难作战所需的更大的行政权，这行政权范围要如我们受外敌侵犯时我所负的权力一样大。

为了我所受的信托，我将回复这一时期所须有的勇气和信仰。我不能……

我们不能不信任主要的民主政治的未来。美国的人民们并没有跌倒。他们为了本身的需要签定了一个契约说他们需要一个直接而有力的举动。他们需要纪律，和一个领袖的指示。他们使我成为达到他们希望的工具。我是接受礼物的工具。我以接受礼物的精神来接受这种委托。

在这种努力之下，我们的国家卑下地祈求上帝的保佑。愿上帝保佑我们大家。愿上帝在未来时日中不断地指挥我。

三月九日（这是议员从太平洋沿岸可能赶到华盛顿的最早的日子），国会召开非常会议，这以后一百日的紧张讨论，正足以表示罗斯福大总统应付紧急时期的非凡能力，这种讨论非但不是他当选后到就职时这一时期中所能准备妥当的；即使我们说是在就职前一年之中筹划的，也是很可能的事；但是罗斯福在一百日之内完成作为新政物质基础的全部根据，却是在全国银行倒闭时立意完成的工作。

一八一五年三月一日拿破仑在法国登陆；但是他的“百日”却是在三月二十日路易斯十八出走后才开始的。罗斯福在“百日”前，只有五天的光阴。

三月五日，他对国会表示自己的信仰，并且向全国斗士们广播，请他们合作参加一个“对自然力量，对人类自加限制的错误，对自私无能的力量，对怠惰和恐惧”的战争。三月六日，他对被约到白宫来准备作一天讨论的全国州长会议演说。由于银行倒闭的紧急危难情形，他只能即席简短地请他们“协助及合作”。州长们不计较政治上的不同意见而和他合作，决议一致信任他的领袖地位。有一个人民代表委员会致州长会议一封信，表示他们相信“全国一致对我们所选的领袖表示信仰和希望”。

这封信中签名的有美国工联主席威廉·格林，卡地纳尔·孟地灵，拉比·卫斯，阿尔法莱德·E. 史密斯，牛顿·D. 倍格，尼可拉斯·摩雷·勃特勒博士——哥伦比亚大学校长，美国高会主席 H.G. 哈立曼，以及政论家华尔特·李普曼。

就在三月六日，大总统宣布银行休假只能到三月九日为止，他自己开始草订紧急时期银行法令，不到半小时就交国会，在同日立刻颁行。同时又发令命各银行俟通知后开业。三月八日前一天，大总统举行他第一任内三百三十七次记者招待会中的第一次集会。记者招待会在白宫中并不是创举，不过罗斯福废除了以前那种纸面询问的成例。和麦克因泰，路易斯·霍威同为白宫秘书的史蒂文·欧莱负责与各报取得联络。他自一九二〇年副总统竞选后，一直和罗斯福在一起。全国报纸评论对新政都表示反对，但是记者们私人对总统的印象很好。

三月十日，罗斯福请国会大为减削联邦预算。那晚上他在梦中被加利福尼亚大地震的消息闹醒了，不到一刻钟，电话中又说“要为海陆军及红十字会取得一切必须的物资”。他从不相信任何国家的厄难，可以委托私人企业来解决——无论这种厄难是由财政银行，还是由沃海奥和密西失比的银行所造成的。

三月十二日，大总统第一次发表广播炉边闲话，向全国人民解释银行事件。

“你们作人民的必须要有信仰，”他结论时说，“你们不能为谣言或猜测之词所迷惑。我们要联合来消灭恐惧。我们有着重建经济体系的机构；但是要使它进行工作，却须有你们的支助。这是我的，也是你们大家的问题。我们大家都不能轻忽。”

在财长合理处置下，银行在三月十三日礼拜一那天开门了，以后几天中一直都开着门。这是罗斯福在炉边闲话中所能传播的信任，不久之后，在财政方面，这个国家又能开始行动了。

在银行倒闭那一周的危难时期中，幕后工作的人们像疯人似的工作着。财长威廉 · H. 伍丁是本雪文尼亚一位铁矿巨子，闲暇时喜搜集硬币，拉提琴，谱乐曲，写儿童歌曲。他是共和党人，但是因为不赞成禁酒令而在一九二八年时支持阿尔·史密斯为大总统。他是当初拉罗斯福出任州长，允许为他集募温泉基金而成为该基金理事的人物。他在支持罗斯福作候选竞选时，在名义上还是一位共和党人。当华尔街企图阻止罗斯福时，他公开说他相信罗斯福。他的银行后台是J·庞尔旁特·摩根公司，他自己的事业很兴隆，在华尔街上很有势力。

十四个月之后，这位小人物死了。他在那一个紧张的星期中，几乎没有闭上眼过，那时他已经害了喉溃疡，以后十个星期之内，他还是努力工作着。“在作战时间中，没有人比伍丁部长更热心，牺牲更大的。他在美国人，特别是知道他的人们心中，占有伟大的地位。”这是他的首长说的话。这种人的信仰是罗斯福所能赢得而且能用它来为国家谋利益的。

三月十三日，总统向国会提出废弃“伏尔史蒂”法案，使啤酒及淡酒类之制造合法化。第十八修正法案的废弃须要较长时期，目前的处理只是初步手段。

三月十六日，总统提出农业调整法案。农业部长亨利·华莱士在三月十日对五十位农民代表解释一个足以影响当年收成的农业计划。第二天，通过了草案，五月十日，通过了“影响很大，在平时从没有提出过的远大的农业法案”。

亨利·阿迦德·华莱士，伊沃华人，是罗斯福出色助手之一——在某些观点上说来，是最出色的人物。他在一九四〇年时被选为副总统。他的父亲，《华莱士农民》报的所有及主编人，历任哈定和柯立芝时的农业部长。青年华莱士发现了包谷，猪，鸡等增产方法。他改进了根据气象报告预言收成情形的方法。他实验过支持体力究竟须要最少食品的量如何，甚至以自己为实验而害了坏血病。他写过有关农业定价的标准书本。一九二八年他脱离共和党，一九三二年，他写了不少文章，又发表不少演说，使传统上是共和党势力的伊沃华州一变而为民主党的。他是苏格兰的伯里斯巴德里安后裔，无疑地是全世界伟大的农业思想家，他对世界和平的贡献很大。是的，罗斯福选人非常得宜。

三月二十一日，总统要求国会给他推进人民保守队的权柄。这是在伟大经济计划中他自己的特殊节目，到六月一日，已有三十万青年男子在公路边植树来防止土地腐化及潮浪。全国建立起二百处营房，赚得的工资中有部分送回家去。

三月二十七日，罗斯福总统采取推进农业信用所的初步步骤。这工作要日后继伍丁为财长的小亨利·摩根索来从事。

三月二十九日，总统对国会提出交易安全法案，使投资者不致因为公司方面虚伪的流动资金手段而受损失。

四月三日，提出了农业抵押法案，目的在减轻农民负担，防止土地并吞。

四月十日，提出泰尼斯流域主权法案，目的在为“全国社会及经济上之利益”，从事“计划空前的伟大区域工作”。

四月十三日，提出有家者债务法案，是防止并吞土地又一法案。

第十三次记者会谈时，一位记者问总统说：“你怎么会伤风的？”

他答道：“我不知道，我想我说话说多了伤了风。”

但是，这伤风并没蔓延到他腿上，因为在四月二十日，他使美国抛弃了金本位。

还有许多话要说。总统约蓝姆赛·麦唐纳去见他，讨论即将在伦敦开的世界经济会议中将引起世界注意的种种问题。在四月二十二日至四月二十六日之间，这位总统和英国首相以及他们的专家随员们不断地讨论着。

四月二十七日和二十九日，和加拿大总理举行经济会议，四月二十八日和艾杜德·赫里欧讨论法国经济。

五月四日，总统要求国会通过铁道改组法案。

五月七日，在第二次炉边闲话中，他对全国报告他和他的政府所办的一切，以及正在计划中的许多设施。

五月十二日，总统签定了联邦救济法案第一条，同时对美德货币会议结果，和德国的史查特博士发表共同声明。

五月十六日，他向全世界五十六位政府领袖作裁军和平以及结束经济危难的呼吁。他从荷兰的惠海尔明娜皇后那儿得到了最动人，最忠实的回诺。

五月十七日，总统对国会提出全国工业复兴法案，要求以三三〇〇〇〇〇〇〇〇〇元作公共工作救济金。

最后这一巨大法案在六月十六日由总统签署，当时在休·S.约翰逊将军领导下，建立了全国复兴局。工业复兴法案（NIRA）所引起的评判如何，我们从本雪文尼亚的上达巴地方的小克利斯多法·J.柯灵士夫人以尼拉（NIRA）作她女儿的名字一举中想见，同时可以看到国民对罗斯福的信仰。

在总统赞慰后，第七十三次国会在六月十六日休会，从开会迄今，正是一百天。

新政开始了。

一九三三年六月十七日，礼拜六，罗斯福先生离开华盛顿，和孩子们乘四十呎的帆船"安巴杰克"号沿麻省，新亨勃西亚及梅茵沿岸航游。一八一五年六月十七日也是礼拜六，拿破仑心中盘算着自己的地位，政治和军事技术等等，正跨着白马，冒着雨向滑铁卢行进着。

在罗斯福的一百天之中，德国国内的事情演变得很快，三月五日，由于德国西南部天主教中等阶级转向希特勒之故，纳粹已经得到百分之四十四的选票。

三月十三日，戈贝尔博士被任为启蒙部长；共产党人被排斥于国会会议之外，国会在戈林和希特勒阴谋纵火之后，现在正改在堡斯坦的迦立生教堂中开会。

三月二十四日，邱吉尔正在下院中攻击麦唐纳在罗马和墨索里尼所谈着的英法德意四强协约，同时他认为裁军会议结果是有害无益。艾登认为邱吉尔的攻击有点荒谬。

四月一日，全德国的犹太商店被抵制了，在这一月中，颁发了《阿里安法令》，凡没有在大战中服役的犹太人，一律革职。

四月七日，希特勒任命戈林为普鲁士总理。

五月一日，纳粹从工会手中夺取了庆祝五一劳动节的举动。

五月二日，工会被解散，组织了德国工人阵线，解散了社会民主党。

五月十日，在柏林举行了焚毁纳粹所恨书本的大火。

五月十七日，希特勒声言德国将毫不自私地和别国合作克服欧洲政治及经济上的种种困难。

五月十八日，兴登堡引用前一天希特勒所说的话，回答罗斯福向全世界作的裁军以求和平的呼吁。

六月十一日，奥国的纳粹们开始煽动人民忿慨，宣称陶尔非斯博士是国际犹太人及小协约国的雇佣。

六月十七日，希特勒向人民宣称革命时期已过，进化时期将立即开始。这时期开始时，无数反对纳粹的人们被送进集中营去受刑或被暗杀掉。

希特勒的开头一百天我们说得不少了。他最后的一百天现在正依无情的程度发展着。

六月十九日，“安巴杰克”号到了坎普贝罗，有很多邻人们来欢迎，罗斯福对他们这样说道：

> 我想，无论是新知旧交，我都可以认你们为我的老友而谈话。我今天早晨在算计着时间，记起四十九年以前我因为长牙而被带到这儿来。直到十二年以前，我还是每年到此地来过好几个月。
>
> 我觉得回忆是很奇怪的东西，因为今天早晨当我们在奎台海角方面快要航出迷雾时，在船头上瞭望的孩子们喊道：“前面是陆地。”可

是，回忆使我开足速度前进，因为我知道那地方是虚贝克狭地……

当我航过了狭地，望见了一行渔船，见到这儿惠尔区池码头以及东港码头上的人时，我心中想在此地的这种迎接，正是可能发生的世界各国之间友好的最好的榜样……

我希望，同时相信如果世界继续和平，世界各国将以美国和加拿大的榜样为模范，那么在今后三年中，我将能再度来此渡一个假期。

从一九二一年八月以来，罗斯福没有能到坎普贝罗来。现在，在华盛顿那紧张的一百天之后，他又回到在梅茵海岸外的加拿大小岛上，他在这儿得到了克服自己未来生活中的恐惧的机会，在这儿，他学得了力量和意志，自信以及确信将能为同胞们克服另一个恐惧的教训。在一个伟人生活中，没有比这更令人难忘，更感到温存的偶然事件了。

第十三章

笔也许比刀更有力量，但是由一位富兰克林·D.罗斯福说出来的字句，是无可与之相匹敌的。历史上从没有见过有像一九三六年大选时那样足以表示对自信力的反应的数字过。

在大选前一天晚上，他对数百万听众广播时说："在世界某些地方，正起伏着反民主政治的波涛。"

> 但是我们的信仰是坚定的。我们由于经验教训而更加信任民主政治……当你我明天排了队静候投票时，我们像是排在一条横贯我国历史的阵线上。这条线上有华盛顿，有杰佛逊，杰克逊和林肯。后来又有克里芙兰，西沃图·罗斯福和乌德罗·威尔逊。他们，在他们那时，

也静候着他们投票的时机。和他们并列——和他们一样地投票的——是无穷的美国公民，他们虽然在历史上没有留下名姓，但他们所投的票却造成了历史……

在过去，每一位曾经投过票的男女，在制造未来的美国史过程中，都曾经出过一手之力……

你们明天到票柜前面去时，不要害怕，该为你想像中所需要的最好的世界投一票。

一九三六年十一月三日美国人民对他的回答是罗斯福以二七三七六六七三票压倒他共和党对手，肯萨斯的阿尔法莱特·M. 蓝敦州长。在选举人团（包括各州全部总统选举人在内）中，四十六州投选罗斯福，只有梅茵和伐蒙特投选蓝敦。

共和党全国代表大会那年在克利芙兰举行，他们注意于各种演说或意见所引起的热烈赞美，却没留意到美国的脉搏如何。

蓝敦州长和《芝加哥日报》发行人，被选为副总统候选人的法兰克·诺克斯上校开始在台上作勇敢的断言时，全场情绪非常沸腾：

> 美国正在危险中。美国的男男女女以及未来的子孙们都在危险中。我们要献身以保持他们的政治自由，个人机会，以及他们作为自由公民的素质，这些东西现在都受了政府的威胁。

这是保守主义对“百日”立法所作的抗议。这是保守主义对最高法院法官们所表示的感谢——他们常以六对三的多数说新法案不合宪法。这是保守主义表示美国民主政治可以在二十世纪时站在一边，到二十一世纪时再来领导的说法。

六月二十七日民主党全国代表大会在菲拉台尔菲亚开会时，大家一致推罗斯福为总统候选人，他对谈政治自由和自由公民的共和党候选人反驳道：

> 自由一词……表示出从某一限制力量中

解放出来的意思。一七七六年时我们要从自英国皇室中获得特权的保皇党手中取得自由……

……在现代文明中，经济保皇党们铸成了各种新的皇朝。新的皇室建立在集中统制一切物资的手段上。通过运用会社，银行，工农业新机构，劳力和资本——这些是祖先们梦想不到的——等等新方法，现代生活的全部机构已经被迫从事这种忠诚的服役了。

在这种忠诚之下，凡是想运用美国体系以求发展而得利益的千百小企业者和商人们，全无插足余地。他们和工人农民们一样，得不到什么自由……

一位英国法官有一次说过："有需要的人并不是自由的人。"自由需要有谋生的机会——这种生应该和时代的标准相合，这种生非但使人可以得到生存所依的充分东西，并且要有所以生存的理由。

因为在经济的不平等之下，我们所争取到的政治平等是毫无意义的。一小集团的人已经完全操纵了别人的产业，金钱，劳力——生命。我们很多人已经不再自由了；自由已经不再存在了；人们不再能追逐快乐了。

美国公民为了反对这一类经济暴政，只有仰赖于政府有组织的力量。一九二九年的崩溃已经显示出专制主义的面目了。……

这些经济保皇派们指责说我们在推翻美国的组织。他们所真正抱怨的乃是因为我们在觅取夺回他们的权力。我们为了忠于美国的组织而必须推翻这种权力……

这（三）数年来的失败和胜利，使作为人民的我们对政府和我们自己有一种新的了解。从昔日新英格兰会议以来，关于政府事务，从没有如此广泛地被讨论，如此清楚地被了解过……

政府会有错误的，总统也会有错误的，但是不朽的但丁告诉我们说公平之神对冷血者所犯的罪以及热心者所犯的罪会给予不同的权衡尺度的。

人类事业中有一个神秘的圈子。对某几代人们所给予的很多，另有几代的人们却企盼很多，这一代的美国人们有一个固定的命运。

在我们这一世界上的其他土地上，有许多人民在过去为自由斗争而生存，现在似乎对这种斗争有点倦怠了。他们为了生存的幻想而出卖了他们自由的遗业，他们已经放弃了民主政治。

我相信只有我们的成功才能再度激起他们远古的希望。他们开始知道在美国，我们正在进行一个伟大而成功的战争。这非但是对需求以及经济破产的战争。它的意义比这点更为重大：这是民主政治生存的斗争。我们是为我们自己以及全世界进行一个拯救一个伟大可贵的政府形式的战争。

我接受你们给我的使命。我和你们携手。战争一日不止，我永远不退伍。

在此，我们且看看一九三六年六月二十七日“其他各地”的情形。

墨索里尼正劝史乞斯查尼格和希特勒缔订和奥国前途有关的协定。那时是黑衣首相侵略阿比西尼亚之后两个月，意大利代表们正退出国际联盟。在一个月之中，佛朗哥将军在德意允诺支助之下，飞去任摩洛哥军领袖而发动内战。在希腊，米泰克斯将军在五星期前正发动他的政变。德国正在捷克斯拉夫制造纠扰。在德国，希姆莱被任为警察首领，希特勒青年团效忠誓文中已经规定拯救希特勒就是救德国，救德国就是救上帝。

罗斯福获得多数票时，正足以表示在几百万人看来，他是在垂死的民主世界中唯一的美国民主者，而他的对手们却说他在大选中利用了国会通过的救济基金来运动贿赂选举的人们。

但是，如果美国不愿消灭，那么它必须有一个新政。在政治思想上，罗斯福并没有什么新贡献。罗斯福并不因为能立新法，行新法而成为伟人，他之所以能和华盛顿，杰佛逊，杰克逊，林肯等同列为伟大总统者，因为他是他国家命运的工具，而且能在国家发展中的危急时期表现出美国精神来。美国人民对罗斯福爱戴已极，罗斯福的受人欢迎是很自然的。他的敌人们始终利用这一点来寻觅他的缺点。他们却没看到一个人越受人欢迎，越不致因此而失败。威尔逊从没有受人欢迎过。因此当他一度受群众热烈欢迎时立刻就失败了，虽然他认出群众是非常浮动的。理由是他不爱人民本身，因此他得到了最坏的结果。罗斯福爱人民，这是他们所以爱他的理由。而且，他们正如他母亲似的，以有他为荣。而且，他们又怎能不如此呢？无论对他母亲或对人民们，想引起一种没理性的爱好是不可能的。他的敌人们说他在摧毁美国主义，这话有点酸意，因为他们不得不承认他是代表美国主义的一朵美葩。他们认为他犯了不少罪过，他在一九三三年七月从巡洋舰“印第安诺坡里斯”号上打给在伦敦开会的经济会议的一通无线电报，使他们认为他太不重视金钱了：

如果这为了要使所有国家得到更真切永久的经济安全，得到更大的繁荣而召集的各国大会（它应该努力考虑各种大问题）的精力完全集中于有关少数国家的货币交换等非常虚伪而且很暂时性的提议上，我就认为这是一个世界大悲剧的顶点。

大总统这种侃侃之谈，当时在英国颇感受窘。但是一九三三年七月送出这一段无线电消息的人，在一九四一年一月中却将租借法案提供给国会中。

有关重要的是当医师使这病人双腿复元时，他相信这位病人的责任是要以他新的精力来为世界谋利，拯救人类民主的未来。这样，命定了当一九三三年一月三十日希特勒任终身元首时，他的权力已受到一位在那天快过五十一岁生辰的人物的限制。这样，当希特勒在一九三三年三月五日醒来时，他在那一早晨已经为一位在新选举中得胜，还熟睡着的人所打败了，那位人物远隔重洋，正在一天之前，为民主政治获得了胜利。

罗斯福从没有鼓励人民们相信在未来的怒潮中他

们可以乘方舟飘于世外。也许我们可以说他热烈地希望可以避免战争，但是他从不使这种热情的希望压倒了理知，而在希特勒把握全权时，他是否以为战争可以避免，这倒是个疑问。很自然地，当危难之机来临时，他对美国人民加强地说他们可能被一个胜利的德国所打击；但是他那不肯袖手旁观而要摩拳擦掌的神态，却使他的对手们说他是在制造战争。美国的孤立者的态度，基本上和不列颠的妥协者态度相似。它是贪图和平而不是想得到和平的一种想望。两者都没有看到那时受威胁的不是殖民地，原料及商业优势，而是全人类精神和物质的未来命运。一直到很久之后，美国和英国才为民主政治的未来所困惑，威尔逊曾经请美国人民为民主政治的安全来反抗德国军国主义；但是在战争结束后，他的话就像大战中很多的口号一样地被看作一个推销员的语言。

邱吉尔在一九四〇年五月十日之后，罗斯福在一九四一年十二月七日之后，都因为他们在对付轴心侵略行为上的正确判断而接受了统率一切的特权。也许日后我们还可以看到这两位人物出众的成功还不止是因为他们在战略上的远见。罗斯福的成名也许是因为他能在历年来陷入危机中的政治观念中灌注以新的生命；邱吉尔的声名成立也许是因为他在开始时已经觉得如果不是由英美共同得到的胜利，那种胜利是没有价值的。

罗斯福能给民主政治以它所需的不顾生命的热狂。在基本上说来，他的民主政治观念乃是一种黄金律，或者是为最大多数人的最大快乐。人类在追求快乐时所采的途径自然是因时因地而有变更的，罗斯福对快乐的观念是受二十世纪初期他同胞们的生活水准所影响的。自一九三三年之后，他最大的问题是要同胞们相信只有多少牺牲一点他们保有的美国个人主义，才能得到他们所要的快乐。而值得注意的是最个人主义化的人们正是最孤立的人们。

人类因为印刷，蒸汽动力，以及内燃引擎之发明，是否得到更多的快乐，这是一个疑问。上帝不使人停留在一个阶段中，这是没有疑问的。亚当和夏娃牺牲一切而发现了这件事。

如果罗斯福早十年出世，他也许年纪太大而不能发现过去该向时代屈服的种种东西了；如果他迟出世十年，他又太年轻而无法了解该保存的一些过去的事物了。他的力量就在于他之不为许多阻滞他个人雄心的小事件所阻滞。他需要权力，并不是为他自己而是为别人。他的目的在成为他衷心爱护的老美国的代表而并非一个新美国的作者；但是他要求全国乐于接受时代所给予他们的责任。

新政无疑地使美国人感到了不安，但是它还给予了许多并不引起不安的新药。现在我们所想的是一个世界的新政，我们可能也会感到它所引起的不安的。

不论一九四一年时，世界大战爆发与否，世界在一九三九年时将重返于经济恐慌之中，这是一定的。两次战争可以说都是一些外科医生们急于想治好病人的结果，这些医生们没有诊断能力，一味乱割病人主要器官和分解他的肢体。经济恐慌原因在生产能力进展太快，无法使分配及消费能力相协调。世界的财富成了一个癌，乱动乱诊会引起生命的危险。现在割癌的刀已经安在癌上，可是病人已经有力竭而死的危险了。在和平来到时，他已经要奄奄一息了。

罗斯福在这时是否还有对付一九三三年三月四日美国那种困难情形的勇气，自信，广泛的同情和忠诚信仰来给予民主政治呢？

这是加在一个人身上的可怕的责任，但是在美国，只有这一位领袖，才是在恐怖时期中人民所仰望的人。邱吉尔和斯大林都没有号召全球的思想或气质。他们在一国之内，是出色的领袖。作为苏联人，斯大林在一九三九年和德国订约是很合理的；但是纵使苏联的安全因此得以保持，它总显示出苏联没有顾计到其他国家的命运。从那时起一直到今日为止，没有丝毫的理由可以使我们相信斯大林有解决苏联国外其他国家的困难的力量。一九四〇年的邱吉尔自称为是罗斯福“热诚的随从”，这是非凡政治家风度的表现。他天然地认为美国人比英国人更能了解法国的观念，因此更有处理法国关系的能力。英法相互地认为一九四〇年的崩溃是对方的错误。这是实情，现在必须翻过新的一页来，而翻这一页的手指，应该是美国的大总统。

邱吉尔能冒险触犯英国式的本性在卡萨布兰卡和罗

斯福安排一切，这也许因为他有一半美国血统的关系。然而从一切证明上看来，这两位领袖非常协调，而且所提的意见并不太过于积极。

世界的未来形式，在残垣断墙以及国破家亡的情形中还未能看出究竟。但是我们现在，该准备恢复世界和平了。《大西洋宪章》并不是在圣詹姆斯公园的池上草订的。对现在的世界的形成，孤立主义，自由贸易以及妥协主义都各有它的贡献，因此英美人民都须负起因罪过而引起的责任。

凡是有学识的人，都会看到要规定一个恢复世界秩序的计划，必须有中国和苏联的合作。同时也得记住其他较小国家的合作也是非常重要的。民主政治的意思是说人民大众可以发言以统治一切：它并不是说由一个要求有表现民主政治的特权的一派政治思想来统治一切。当战争过去，和平开始时，真正民主政治已经受到深刻的威胁。

一九四三年二月六日《新政治家》上有一段文字正足以表示不少真正的民主主义者们所感到的惊奇：

苏联没有代表参加卡萨布兰卡会议，这反映出一个严重的危险，斯大林可能认为盟国干涉巴尔干，是一种对苏联势力的排斥，要把它排斥于一个人民不倾心于西方民主国家而倾心于苏联的地区之外的企图……这种怀疑已经因为北非种种事件之发生而增加：达尔兰之任命完全是一种军事上的便利。派出各式的，不足以代表而且很可疑的人物如达尔兰，奥都等人物出现在东南欧洲各种政府中，这像是国务院一种有意安排好的政策。……比国务院更熟悉这许多事件的外交部，很明白这许多计划中的愚蠢处。……

罗斯福总统使人惊奇地说这是一种“非常的会晤”，他是这样来叙述吉乐德将军所提出的“解释”的，他这种解释是非常神秘的。他问为什么他自己不能洗刷他治权中的维琪份子？回答是很简单的，现在不论过去态度如何，每一个有“才能的”的人必须来支持反对轴心的军事行动……战后华尔街也许要和欧洲人陆恢复商业交往……罗斯福总统要为古乐德将军所表示的政策作门面，这只是另一个表示出民主党党内反动势力的力量的不安的证明。反对新政的南方民主党人是罗斯福所以获得多数人拥护的主因，他们是支持赫尔先生和威尔斯先生。

如果上述的话合理地支持了斯大林在一九三九年八月的行为，那么他将成为另一个赖伐尔了，而邱吉尔在一九四一年六月中对斯大林的态度，也将成为为便利计而求取的可耻的行为了。但是在此我们最好把逻辑放在一边，而以邱吉尔先生的词令和希特勒进攻苏联时法，英，美的共产党人们在智力上所完成的轻巧行动为满意，那时他们从对帝国主义之战所取的怠工情形中一转而取积极态度，这不是很令人满意的吗？

因此，很明显地，当我们要在和平的巨桌前把一个令人迷惑的七巧图拼合起来的时候，我们需要有一个眼光远大的人，势力广泛的人来指导，这人要既不受右倾沙漠的迷惑，又不为左倾奇山的眩迷。在这一巨大的斗争没有解决时，解决纠纷的理想人物就是罗斯福。他是一位对任何理论，任何教条，任何主义，任何人种，都不存一点偏见的政治家。

第十四章

一九二〇年罗斯福在副总统竞选失败时，曾经赞成并鼓吹美国参加国际联盟；但是他在演说中从没有附和着说国联的法规乃是一种实验性的东西。那时他和现在一样，并不是教条主义者。他认为国联是到正确方向去的机构，但并不是通天堂的梯子。在此地没有浪费字句来叙述一九二〇年时可能发生诸事件的必要。现在我们所以提到国际联盟，目的在使读者知道罗斯福并不是从第一次世界大战中破残的观念上飘下来的一片碎块，飘到风雨不息的第二次大战的岸边而爆发了。从任何方面说来，一九二〇年之后一年中，他已经退出政治圈外，在美国国外，没人知道他的名字。

在三十年代中，当邱吉尔正努力锻炼国会中的意见，使它能对付不可避免的德国的挑衅时，罗斯福正专心于国内经济困难及社会改革诸复杂问题而无力注意欧洲情形。即使他有兼顾之心，也难分兼顾之力。英国人民对希特勒恶势力所能引起的情形，还不能想像到，美国人民对它自然更加茫然了。想起当时情形，使人觉得非常富于讽刺气息；一九三八年十月二十日有一次广播中说将来火星中会突然有人下来进攻国防军，这话使新泽西和纽约二州的人们大为恐慌，而在早一个月时，纳粹从纽伦堡方面广播却说希特勒对捷克斯拉夫的威胁，只引起小小的惊奇而已。不过，这倒是事实情形。

罗斯福在自己任大总统时也许并没有看到和他同时任德国元首的希特勒对人类未来发展可能有什么影响。他并不是预言家；他是在人众前前进的人。而且，他天然地是一位乐观者，而且我们可能想像他是真正相信自己能够使美国站在战争之外的。

一九三三年，他在就职演说中说道：

在世界政治方面，我要将这个国家贡献给良好邻国的政策上——贡献给坚决地尊重本身权利，因而也尊敬别人权利的国家——和尊敬它本身义务，以及尊敬它和世界各邻国订定诸条约的国家为伍。

但是当时这位演说者并不知道这任务是比一切更为庄严远大的任务，而美国人民却正因为面对着其他种种任务的威胁，忽略了这一任务，因此阻碍了美国外交凡八年之久。

一九三四年一月三日大总统在对国会报告中说道：

不幸的是关于世界局势方面，我不能对你们报告一个完全乐观的情形。

合众国的代表和其他美洲共和国的代表们密切合作，会于蒙特维地奥，使会议完满成功。我深望我们能使邻国们明白我们正和他们共同努力来避免未来的土地扩充和干涉他国内政等情事的发生。而且，我们都在觅取复兴商业的途径，以为建立互惠的贸易平衡的张本。

但是在其他地方，人们深惧侵略即将到来，因而不断扩张军备，继续建立商业壁垒以阻止任何和平进展及贸易协定。我曾经说美国不能参加与欧洲有关之政治设施，但在任何时期，我们都愿和世界各国合作，采取实际方法以减缩军备并压低阻碍商业发展之壁垒。

关于其他国家之政府、人民所欠我们政府及人民的债务情形，我希望对各位有所报告。承认这种债务的若干国家，已经偿付了一小部分；其他国家则无法偿付。有一个国家——芬兰，已经偿还了全部债款。

除了一种好意的自由主义外，这段话中并没有其他表示。战争在普通常识判断下，似乎还是可以避免的。人道的生活方式，似乎还没有受到威胁。

一九三五年一月四日总统在对国会报告时，这样说道：

我不能公平地告诉各位说在美国境外的国际关系已经改进了。在事物表面上看来，有许多旧的妒忌，旧的忿恨又激扬起来了；在不少地方，为争取武备和权力的斗争，又重新抬起它们丑恶的面目来了。我深愿平心静气的商议，使有建立性的领袖地位可以给我们以安全的势力和充分的时间，使全世界各地可以出现新的、更实际的代表政府，在那一局面下，特权和势力将削减，全世界的利益将提高。

但是，我深信我们的和平睦邻态度是将为世人了解而赞成的。维持国际和平是我们深诚无私地关切的任务。我们力求避免武装冲突的坚决而不可否认的希望，最近有不少实据可以为之证明。

我们和他国和平相处，这是不容怀疑的事。同时，多数国家的人民们，正在觅取如何从夸大诡说军备不能减缩是受国际局势限制的论调中解放出来的途径，这也是不容怀疑的事实。

欧洲在当时似乎还在遥远的地方。好意的自由主义并没起什么作用；但是在一九三五年那篇报告的结尾，却是出于感谢上苍的热忱，感谢上苍使过去一年中美国人民有所建树，这话是有一点生气的：

我对未来一年中抱有坚强的希望，这并不是因为受了空洞的乐观主义的推动。如果我们有愿心，我们能使一九三五年成为一个善感滋生的时期，受着一种有目的的进展的支持。除了物质上的复苏之外，我已经预感到一种精神上的复苏。美国人民将空前地转向一种不受生活中物质目的所局限的永久价值上去。在各方面，都可以看到关于这一方面的信号。在这种精神的激励下，我们感到了上苍的力量，它常常给这个国家以指导和关注。

一九三六年一月三日，大总统对国会作每年一度的报告时这样说道：

美国的睦邻政策已经不再是一种希望，不再是一种还待完成的目的了。它是一种积极，即时而有效力的事实。在这一成功之中，每一个美洲国家都要参予了解。现在没有战争，没有关于战争的谣言，或关于战争的希望。在这一广泛区域内的众多人口，有两亿五千万强，散布在起自北极，直达南极的地区中，相信并且要奉行这种睦邻政策。他们全心全意地希望世界上其余人民都能作同样的行为。

谈到世界上其余的人们——啊！现在正有着一种摩擦。

要是我今天是在对美国人民作一篇就职演说的话，我不能在一段话中叙述出我对世界事务的评断。十分抱歉的是我不得不对世界事务多作叙述。就从一九三三年那个夏天起，欧洲及亚洲许多人民的领袖们的脾气和目的既不是向和平，亦不是向促进人类善意的途径上发展的。在这一时期内，非但和平和人类的善意离这一区域日渐疏远，而且现在已经到了美国人民必须认清：忿恨日渐滋长，侵略形势日渐明显，军备扩充的这种局面——这种局面有很多是足以引起普遍战争的原素。

在其他大陆上有许多国家，特别是较小的国家，如果要他们能自己作主的话，他们一定非常自足于已有的疆土，愿意由他们自己，或者和邻国们合作，来解决个别的经济和社会上种种问题。这些国家的统治者们，心中深深地服从人民的和平和理智的情绪。这些统治者们，必须不断警觉着，要对付今日或明日可能由那些不能以和平方法来改进人类生活的其他人民的统治者们所发动的侵略或进攻。

在那些在今日必须负起破坏和平的责任的各国中，有着的是什么希望呢？至少，有着悲观主义存在。我们或其他国家的人民来空说这些受专制主义和侵略主义双重精神统治着的国家中的人民大众并不同情于他们的统治者，说他们没有表白自己的机会，说他们如果可能，一定会改变事物的，这种说法是徒然的。

这是很不幸的，它并不清楚。我们可以说，如果那些国家的人民大众们能有像我们所了解的民主政府下所有的自由和一切民主手段，他们是可能变更现有的政策和政府的。但是他们没有这种权利；他们只能被迫盲目疯狂地随着一心寻求专制权柄的领导者前进。

企望扩展，企望改正前次战争所造成种种不公平情形，企望觅取贸易出口，企望觅取过剩人口的出路，甚至企望对文明进化作一点和平贡献的国家，都没有表示出它们具有愿以和平谈判或呼吁人类正义本性来达到它们有理合法的种种目的所需的耐心。

因此，它们不耐地返求于昔日武力的法则，或者转向一种疯狂的观念，认为他们是完成一种使命的特殊人物，世界上其他人民们都该受他们的支配。

我知道，同时你们也会知道我所仔细选择了的这些字句，不会适合于其他国家的胃口的。但是，这种情绪，将在这些国家中得到同情和了解，在这些国家中的人民们，都渴望着和平，但是在今日欧亚关系的复杂变化奇景中，他们却是随流更改着自己的位置。因为爱好和平的国家——这世界上有不少这样的国家，总以为他们的存在，有赖于他们的行动，有赖于他们在国际政治大棋盘上的行动……

对任何参加与美国没有密切关系的战争的各国，美国采取一种明确不变的政策，它将取双重的中立地位。第一，我们不使交战双方从美国得到武器弹药以鼓励他们继续作战。第二，我们要使足资交战双方进行战争的物资不致超过平时数量地由美国运出去。

我对各位已经加强叙述过世界人民所面对的严重情形。这种加强是应该的，因为这对文明以及美国的关系很重大。和平是为少数人所破坏的，不是多数人所破坏的。和平是受那些觅取一己私利的人们所威胁的。世界现在所见到的和以前许多世纪十分相似——那时小王室和封建公侯们每二十天使欧洲地图改变一次颜色，那时各大帝王们努力疯狂地争取殖民帝国。

我们希望我们现在并没有再度走到这种世纪的门前。但是如果我们必须走上这一步，那么美国和美国人民要担任的任务只有一件：通过非常完善的中立，我们不鼓励别人斗争；由于适当的防守力量，我们使自己不致受别人的攻击；同时我们以一切榜样，一切合法的鼓励和协助，使其他国家回复到和平和友好的情谊中去。

摆在我们面前的事实，使我们知道在世界事务中，专制主义使世界和平岌岌可危，这种威胁并不是由爱好民主思想的国家中发生的。如果在世界事件中这一点是正确无误的，那么在决定国内政策时，我们将加之以最大的重量。

很明显地，总统在这次演说中，比上次更为着重于国外事件。看来到那时为止，他对于希特勒势力的真正危险性，还没有完全了解。他所见到的还只是专制主义和民主主义的对立而已。他似乎还没有看到希特勒的崛起乃是一个病毒已深的民族精神的表记。

总统不断地以欧洲专制主义之复活作为对美国人民的警戒，使他们知道财政和工业集团对他们的统治，也会走上同样的道路；但是事实上他没法作有效的比较。对国内和国外事件中，他依旧表现着自己善意的自由主义，他这样的作风，无意地使希特勒以为美国民主政治和英国民主政治一样，对他那样的扩充势力，并不问闻。

一九三七年一月六日总统对国会的演说中，几乎没有暗示到国外事件的内涵意义，他说："在寡头政府之下，军国主义向前挺进，在民主国家之中，军国主义却不为减削。"

我们无法不相信当罗斯福大总统竞选胜利之后，一心想和美国最高法院相斗争，因为他那时觉得它是非常危险的寡头政治。

一九三七年一月二十日，总统发表第二次就职演说时，也没有提到国外事件，直到十月三日他在芝加哥时才说：

可是我和你们现在都被迫不得不向前瞻望全世界百分之九十人口的和平，自由和安全已经为其余百分之十的人们所摇撼，这百分之十的人们将要摧毁一切国际秩序和法律。当然，那希望在世界公认的法律和道德水准下过和平生活的百分之九十的人们，能够而且必须觅取使他们的意志存在的途径。

目前情形是和全世界有关的。这里所包括的各种问题非但和许多特殊条约中的特别规定有所抵触；它们乃是战争与和平的问题，是国际法律以及人道原则的问题。当然，它们对条约极为抵触，特别是对国际联盟公约，对白里安——凯洛格协约以及九国公约，可以说是最大的抵触。而且它们也包括了世界经济，安全和人道的种种问题。世界的道德良知必须承认消除不公平以及苦恼的原因；但同时我们必须认识尊重条约的神圣，尊重别人的权利和自由，而阻止一切国际侵略之行动。

当疾病普遍传染时，人们同意集体对病人

> 实行防疫工作，以保持这一集团的健康而阻止疾病之传播。

这一篇世人所知的“防疫演词”，在美国使人们大为诧异。第二天在记者招待会上，总统为记者们所困，他们都想看看总统究竟是否有意背叛中立法案。恩斯特·K. 林德莱对这一点特别留意：

> 林德莱：那么，你说你的大纲对中立法案并没有什么冲突。在我看来，这两点似乎是相对立的，你的话还没能给我一点启示。
>
> 总统：恩斯特，你仔细想想吧。
>
> 林德莱：我想了好几年了。它们像是在南北两极似的对立着，你要和一集团的国家站在一线上，这怎么能使你保持中立呢？

但是，总统虽然激起了孤立主义者的惊讶，他却毫无困难地使国会接受他所提出的庞大的海军计划；不论他的防疫演说在当时引起怎样的批评，但是那年十月时他在芝加哥说的一句话却成了时代的灯塔：

> 我们千万别怀着幻想以为美国可以逃避劫数，以为美国可以得天之怜，以为这西半球不致被攻击，以为它可以安静而和平地推行伦理和文明的艺术。

我们在以前曾说过罗斯福并不是一个大预言家；但是他预见到未来的一切，这种眼光不是深刻的观察家是不会具有的。

一九三八年一月三日，总统在对国会的每年演说中并没有提到国外事件，不过只笼统地表示出美国对和平的爱好，这一点可以从一二周以前美国接受日本对轰炸“巴纳”号一事的道歉上得到证明。那时美国在远东对日本的妥协政策，似乎将随英国在欧洲对德国的妥协政策之后而发展。而无疑的是当时两国人民对这种政策一定很感激。但是，总统在一月六日对议院议长提出一封信，其中却要求修正宪法中规定“在宣战前”必须参照人民投票的条文。如果在一九四一年十二月以前，宪法上多了这一修正案，我们倒可以看出美国人民对宪法是否忠诚了。

在现在看来，当时总统对希特勒提出的两个吁请，和对墨索里尼提出的私人吁请，似乎有点像与虎谋皮。那时他能作的唯一实际贡献只有一件，那就是他私人努力来完成一个最后协定。但那像是一件义务，而美国舆论对任何义务都是反对的。

十一月十五日，当总统听见在巴黎一个德国随员被一个青年犹太人所刺死而发生的纠纷之后，他在第五百次的记者招待会上表示了他对自己的端正态度受阻遏后心中的感想：

> 前几天中从德国传来的消息，使美国舆论深为震惊：我自己都难以相信在二十世纪的文明中竟会有这种种事情发生。

而当他按例在温泉参加感恩节宴会时，他在广播中读了温泉基金资助人之一，美国幽默滑稽明星埃第·康脱的电报，他说它“表示出我们所怀的同样思想”。电报上这样写：

> 祝您和您家人们有一个愉快的感恩节。我非常感激，因为我能生在这样一个国家中，这国家的领袖们在感恩节时可以安心坐下来割火鸡，不必问如何割一个国家的事。

读者们一页又一页地看过了罗斯福大总统在各种场合中所说的话，会觉得他是很易激动，但是很难找到表示他这种激动的字句，要等到他抓住一点“秘密”后，他可以立刻流露出他对人性的忠信，希望，和慈善的心情。

“防疫演词”就是他流露心意的一段话，一九三八年八月十八日他在翁他利奥的金斯顿说：“加拿大是不列颠帝国姐妹之邦。我可以对你们保证，如果加拿大受另一帝国之威胁时，美国人民绝不会袖手旁观的。”这又是一段他流露心意的话。

一九三九年一月四日总统对国会报告时说：

使全球可能卷入火焰中的战争威胁已经过去了；但是和平还没有真正的保障。

在我们周围激起了——军事上和经济上的——不宣之战。在我们周围，各国都大量生产——军事上和经济上的——武器。

海外来的暴风雨现在直接打击了美国人民所不可少的三种机构。第一就是宗教。它是……其他两者——民主和国际亲善信谊的源泉。

宗教教导了人们，使他们了解他们和上帝之间的关系，使各个人尊重自己的尊严，同时教他尊重他的邻友们，正如尊重他自己一样。

民主政治是自治政府的实践，它是要自由人民们尊重同侪之权利和自由的一种契约。

国际亲善信谊是和民主政治并行的，它是由文明国家的人民们尊重其他国家人民之权利和自由的志愿中产生出来的。

在现代文明中，这三者——宗教，民主

政治和国际亲善信谊是互相辅成，互相支持着的。

凡是对宗教信仰自由进行攻击，这种攻击的来源都是和民主政治相违背的。凡是民主政治被推翻的地方，信教自由绝不存在。而当宗教和民主政治灭绝时，国际关系中的忠诚和理智都会消灭而为炽烈的野心和野蛮势力所取代。

一个社会秩序中排斥了宗教，民主和国际间的忠信，它无法合于和平的需要。美国反对这种秩序而坚持它昔日的信仰。

在人类生活中必定有这样一个时期来临，在那时，他们非但要准备防卫他们的家园，并且要防卫他们的教会和政府所依存以及他们的文明所根据的信仰和人道。防卫宗教，防卫民主，防卫国际间的忠信，这是三位一体的斗争。为了拯救其中之一，我们必须同时拯救三者：

我以前曾经说过这一代美国人命定了要肩负重大的责任。这话现在逐渐证实了。上天赋予我们的很多，希冀于我们的也很大。

> 这一代美国人民将“光荣地拯救了世界最后的高尚希望”不然就将“耻辱地丧失这种希望”。……方法是简洁，和平，慷慨而公正的——这是我们一旦采取之后，必将为世界所称道，为上帝所赐福的。

总统再度地为自己和人民们担负起精神上巨大的责任。事实上命运所安排好的责任是非常重大的，但是命运又是谁安排了的呢？

墨索里尼进攻阿尔巴尼亚成功后，希特勒又在他心爱的三月中进攻捷克斯拉夫。四月十四日，罗斯福决定私人写信给希特勒，问他愿否保证在至少十年以内，不侵略三十个独立国家的土地。国务卿同时以同样信件送给墨索里尼。

希特勒和墨索里尼都没有直接答复；但是在月底时分，希特勒在听众哄笑中，在德国国会中对这三十个国家逐一地开着玩笑。这当然是对罗斯福私人所作的讽刺。罗斯福当时听到了这篇广播演说没有呢？这是我们无法断言的事，不过从那天起，罗斯福对希特勒的态度变成了毫不容赦的神情了。

总统第一次实际反对就是提议撤废禁运军火案，他知道这是德国人所计较的，因为禁运案分明是对保有强大海上力量诸国不利的。他认为如果他能完成这点，也许他可以阻止希特勒在一九三九年发动战争的企图。但是参议院委员会意见对他不利。七月十一日，参院委员会以十二票对十一票决定不废除该案条文。总统和他的国务卿再度努力一次。在白宫中召集了参院首领们开会讨论如何克复参院中的反对。总统竭尽所知来劝告他们，要使他们相信战争在夏末即将爆发。赫尔说这是必然的形势。参议员布拉说一九三九年中不致发生战争，因为德国还没有充分的准备。赫尔请他到国务院去读一读他得到的电报。布拉并不受什么影响。用总统自己的话来说："布拉参议员以为……他自己所得……关于欧洲的情报，比美国政府从欧洲得到的情报更为精确。最后，国务卿问他意思是否以为国务院所得情报不如他私人的情报，他最后说他臆测下认为是这样的。这都是非常适于议会中的谈话。"

因此，撤销禁运军火案的提议只好束之高阁了，八月五日，总统不安地开始他的夏季假日。他才到海德公园时，柏林传来消息说在几天之前，在莫斯科的德国大使冯·德·史屈伦堡对莫洛托夫表示希特勒准备讨论缔结苏德协定。五月中莫洛托夫继李维诺夫任外交委员长时，希特勒已经建议加强两国之贸易关系作为对英法向波兰提出保证之对策。莫洛托夫告诉德国大使说斯大林喜欢订定政治协约而不喜欢贸易协定。那时希特勒一心希望煽动波兰人来欺骗别国，交出“走廊”，和他一起进攻乌克兰。据说贝克对这一阴谋计划非常满意；但是立刻形势证明他没有使人民接受这一计划的时机。后来莫洛托夫敷衍住德国大使，而斯大林则开始和英法讨论反德阵线。后面这一任务是交付给苏维埃作战委员长伏洛希罗夫执行，他忠诚的态度使英法驻莫斯科大使相信外间传说斯大林和希特勒有订约可能的谣言全无根据。但是八月十六日，英法军事代表团受伏洛希罗夫通知说如果波兰人同意让苏军进入波兰，苏联将加入反希特勒阵线。苏德协定条文已由莫洛托夫及史屈伦堡具体草定，柏林方面于八月二十一日宣布此一协定，在伦敦，苏联大使迈斯基与英美同样地一无所知，他声明这种宣布乃是德国分裂英苏的一种手段。苏联驻柏林大使和迈斯基一样地皇然不知所措。

这种噩耗使总统缩短了假期。因为最恶劣的情形随时可以爆发。

八月二十四日他私人致函给希特勒和波兰总统，要求他们作和平解决，同时提醒希特勒，说他没有回答他在三月二十四日给他的信。希特勒这次以更卑鄙的谎话由德国驻华盛顿代办回复总统。罗斯福再作一次尝试，他的信是这样写的：

> 现在我们还能拯救不少人的性命，如果阁下和德国政府能同意接受波兰政府所承认的和平解决办法，那么现代世界各国现在还有建立和平友谊关系之基础的希望。
>
> 世界人民都祈望德国也会接受这种办法。

就以这最后短短一句话，罗斯福把第二次世界大战的责任钉在德国身上，使它无法逃避。我们希望希特勒会受和平条文之压迫，以粉刷签字承认他的罪过。

九月三日，总统的炉边闲话中又流露了他的情绪：

> 这国家将仍为一中立国家，不过我不能要求每位美国人在思想上保守中立。中立者也有考虑事实的权利。中立者不能紧闭住他的思想，抹杀他的良知。

总统召集了特殊国会会议，要求取消中立法中禁运军火的条文，允许美国在“现购自运”原则下售卖军火给交战双方。美国船只被禁不得在“战斗区”中航行。十一月三日参众两院中均以多数票通过废除禁运法。然而，由于战争的发展形势，美国舆论都力主不得参入战争之中。在东部的共和党人们注意着总统的一言一动，满腔怀疑，生怕他会使全国进入战争中以取得他第三次的连任。对英国同情心最浓的要算南方，在南部以及中西部，对战争的基本主张颇能了解。事实上，东部的共和党态度正如英国保守派在慕尼黑时的气派。产生眼光远大，占有绝大势力，主张“协助盟国以防卫美国”的委员会的，乃是“孤立派”的中西部。当一九四〇年四月中德国占取了丹麦和挪威后，华尔街的代言者《经济商业纪事报》上首先指出德国如击溃法国及英海军后，必要转向美国去。共产党人们支持着华尔街。一九四〇年八月三十一日，总统以五十艘逾龄驱逐舰交给英国以换取英国允许美国在西印度群岛上占用某些基地之诺言，世界工业劳动者机关发表了这样的话：

> 纳粹在此地！法西斯党徒在此地！共产党人在此地！和平主义者，孤立派，杰霍伐派都在此地，第五纵队到处都是！我们的生活方式从没有陷于比今日更危急的境地中过！
>
> 在世界上，我们现在只剩下了一个真正的朋友——英国！她的舰队是使我们免于失败，奴役，奸淫和崩溃的屏障！
>
> 醒来吧，美国，醒来！

在那决定大运的一年中，总统领导着巨大的一三〇〇〇〇〇〇〇人的民主政治。一九四〇年七月十九日，他在白宫中对推他连任第三次总统——这在历史上是空前的——候选人的民主党全国代表大会，发表他接受提名的演说：

在过去七年中，美国政府曾公开以种种和平方法反对独裁形式政府之扩展。如果在来年一月中我们的政府转入另一双手——一双没有经验的手中，我们唯有希望并且祈祷他不致和任何地方（包括此地）企图破坏一切民主政治的人们妥协。

如果可能的话，我将在战争未起时一直到最后一秒钟，努力阻止它，并且竭力限制受灾区域的扩展。我还坚持着赫尔国务卿和我时常表示的，对一切侵略行为斥责——它们消灭了爱好自由，追求和平的古老国家，这些国家是努力保持中立的。我对一切反抗这种侵略的自由人民的同情并不稍灭，对他们的物质援助我也不稍吝惜。我时常提醒这个国家，要它警觉着我们和我们所贵重的东西所受的威胁，这种努力，在我毫不感到有所遗憾。

我在妥协的第五纵队们面前追求这种努力，他们都说我疯狂，说我在制造战争。但是我觉得这是我的责任，是我简单，朴实，无可避免的责任，我应该使国人们警觉到迷漫全球的新势力的危险。

只要我在任总统期内，我将尽一切力量担保这种外交政策永久不变。

我努力维持，使这个国家保持和平，同时使它在精神和物质上都有应付万一的准备，这些工作，完全由国人们来判断。

我们现在要作历史上重大的选择。

这非但是人民政府和独裁政府之间的选择。

这非但是自由和奴役之间的选择。

这非但是前进和后退之间的选择。

这是把这一切混合在一起的选择。

这是我们所熟悉的文明的持续，对我们所宝贵的一切的全部被摧毁之间的选择——是宗教对无神论调，是公正的思想对强力的控制；是道德对枪炮；是敢说敢行的勇气对妥协的虚伪的催眠调的选择。

而我们都常听说自私和贪心的人民不能获得自由的。

美国人民必须决定，看这些事物是否值得他们牺牲金钱、精力、和自己。他们不能单从听到的话，看到的诺言、解释和要求来作他们的决定。他们要从纪录——已经完成的纪录——上来决定。

一九四〇年十一月五日，伟大的民主政治国家竟以五百万多数票决定把国事依旧交给富兰克林·D. 罗斯福。九天前，有一个小国在历史上失望的倾刻中，决定在世界民主政治中和英国并肩为世界自由而战：

和全世界自由生活的人民对立的一个国家的军力，已经被阻抑在我们的海岸边。德国人和意大利人在大西洋彼岸已经受英国人和希腊人的阻抑了。

这是一九四〇年十二月二十九日一个星期天的黄昏，总统在白宫中论国家安全时发表的炉边闲话中的一段话。

当大西洋这边发表这篇炉边闲话时，在大西洋彼岸，德国的燃烧弹正抛落在伦敦市上。作者当时在被轰炸的环境中听到远隔重洋传来的语声，觉得它有如海浪之声那样有力，有如自由的乐曲，它启示了英国深沉的情绪：

一九四〇年九月二十七日，两个欧洲的强国和一个亚洲的强国在柏林签订了一个协定，它们联合起来对美国威胁，如果美国干涉或阻抑这三国的扩张计划——一个统治全球的计划——它们将联合起来共同对付美国。

德国的纳粹统治者们已经明白昭示出他们的意向，他们要统制自己一国的生活和思想，也要奴役全欧洲，然后利用欧洲资源来统治全世界。

两周以前，他们的主子这样说过："现在有两个互相对立的世界。"然后在回答对敌时，他这样说道："别人说得对：在这一世界上我们不能和人妥协，我能击溃世界上任何强国。"纳粹的领袖是这样说的。

换言之，轴心们非但承认，并且进而宣称他们的政府哲学和我们的政府哲学之间是没有和平可言的……

过去两年的经验，使我们知道没有一个国家是可以和纳粹妥协的。没有人能用手抚摸而使猛虎变成小猫的。对残暴忍心的人是没有妥协可言的。和一个燃烧弹讲理性是不可能的。现在我们知道一个国家如果不全盘投降，就无法和纳粹妥协。

意大利的人民们也被迫成了纳粹的附庸；不过现在他们还不知道他们的盟国几时把他们交付给死亡……

由于美国的重整军备，以及竭尽一切力

量把可能输出的军火供给前线的防卫者们，这些措置使民主政治在对征服世界者的斗争中得到绝大的帮助，它必须得到更大的帮助。我们这样做，正如接近德国的瑞典，苏联及其他国家以钢铁，石油及其他作战物资运送给德国一样，并不能说是放弃了中立地位……

我们必须是民主政治的大兵工厂。在我们看来，这时期是和战争一样的紧急。我们必须以战争时我们所有的决心，紧张情绪，爱国心，和牺牲精神来从事我们的工作……

我们协助大不列颠的决心绝对不受任何阻抑。任何独裁者或独裁者们的集团，都不能用他们的力量来威胁我们这一决心。

不列颠从英勇的希腊军队，以及全部流亡政府的力量中得到了非常有价值的军事协助。他们的力量是日渐增长着的。这种力量乃是宝贵自由更甚于宝贵生命的男男女女们的力量。

我相信轴心国家不会胜利。

总统这样地使人民们有了准备之后，在一九四一年一月六日对国会年报时，他提出了租借法案：

我请求国会给予制造各种军火和战争物资的权柄和充分的金钱，使我们可以将大量军火物资转予现在和侵略国家作战的各国。

我们最有效最急切的任务就是要为他们，也是为我们自己作一个大兵工厂的工作。他们不需要人力，他们需要值千亿万元的防卫武器。

他们无法以现款换取这些物资的时日快到了。我们不能也不会告诉他们说因为他们目前无法购买他们必需的武器，他们只有投降。

我并不是说我们要借给他们多少美金的债使他们可以用来买武器——一支必须以美金来偿还的债。

我提议使这些国家可能继续自美国得到作战物资，使他们的定货单和我们的计划相配合……

在未来时日中，我们希望得到一个以人类

四大自由为基础的世界。

第一是使世界各地都有言论和表达思想的自由。

第二是使世界各地每个人都有以他自己的方法信仰、礼拜上帝的自由。

第三是世界各地都有需求的自由——说得通俗一点，乃是一种经济上的了解，使每一国家都能使它的人民得到正常的和平时代的生活。

第四是世界各地都有不受恐惧的自由——说得通俗一点，乃是普遍地减缩军备，要减缩到非常彻底，使每一国家没有对任何邻国进行侵略行动的能力。

这并不是千万年后世界的情景。这是我们这一时代这一代人所可能得到的一个世界的不变的基础。这种世界和独裁者们企图用炸弹建立起来的暴政新秩序截然不同。

自从美国有史以来，我们参与在一个变动之中——在一个和平革命之中——这是一个不断发展的革命，在无声无息之中，它适应着新的环境——没有集中营，也没有建立过战壕。我们所寻求的乃是各自由国家合作，共同在一个友谊文明的社会中工作着的世界秩序。

这个国家的命运是交付给它千百万男女的手，头，和心中的；它对自由的信仰是受上帝的启示的。自由是指人类权利高于一切。我们要援助为保守这许多权利而斗争的人。我们目的的一致就是我们的力量。

在这种高尚观念下，我们的目的就是要得到胜利。

经过冗长的辩论，租借法案终于在一九四一年三月十一日由国会通过了。

“我在一九四一年三月十一日签定了这个法案。”总统在他《公告及演说集》第九卷中这样写道：“不到几分钟之后，军队和很多作战的物资已经迅速地在运往大不列颠和希腊途中。”

富兰克林·台尔阿诺·罗斯福在一九四三年三月初

句时完成了他十年总统任务，这十年以来，他的言行如果要记录下来，卷册一定很浩繁；但是他的进程尚未完成，他也常常不得不略作踟蹰。在签署了租借法案后几分钟之后，他运送作战物资到希腊去，这就是他在进程中踟蹰的时期。物资到达得太迟，这不是他的过错。他的意思是要援助一切孕育着民主主义的国家。为什么要在这时期踟蹰的另一个理由是租借法案是人类慷慨的实际表现，由于这种慷慨，民主政治才能茂盛而结起成熟的果实，不然民主政治即将覆灭。提出请求的是罗斯福，给予者是美国，这种言行成了人类新精神的新基础。

在第一章中，我们曾经提出这样一个问题：罗斯福总统所保有的两重美国精神，是不是希特勒企图在千年内领导人类进化计划的真正障碍？后来，我又直率地说这是本书所企图解释的问题。而事实上这种答案只能从美国人民以及加拿大及拉丁美洲的人民们的贡献之中来觅取的。民主的欧洲人们觉得罗斯福总统是今日世界中最足以代表民主思想的人物，但是在最后争执中，他的一切效力是受他国内人民们所支配的。本书是在一九四三年写的，答案须在日后才得分晓，而罗斯福的巨像，还须待命运来完成它，这命运是这一代美国人的会合之所。

三世纪以来，他血统中流着的荷兰，英国，苏格兰，法国，瑞典乃至德国血液，混合在他一身而为美国所吸收了，这正如赫德逊河那样由许多河流汇合起来，最后为伟大的大西洋所吸收一样。

在短促而静默的和平时期中，罗斯福总统面对着战争的无止境的毁坏，他却能看到世界全局，我们对他的能力，寄予了深刻的信仰：他的正义感是我们所热烈信任的。在世界人士们眼中，他代表着真正的美国精神。我们发觉在处理国内事务时，他的政策也许受国人的怨恨；但是他却真能在危急中把握大局。使富兰克林·D.罗斯福忠诚执行他份内工作的不单是一种信仰：那是一种信心——认为美国在道义上受环境的约束必须表示出两世纪前一位人物所说的话：

> 我认为这是不言自明的真理，一切人都是天生平等，他们从造物者那边得到了某些不变的权利，这些权利中包括了：生命、自由、和快乐的追求。为了保有这种权利，人民组织起

政府来，政府是因被治者的允许来执行它们公正的权力的。

自从一七七六年七月十四日杰佛逊先生这一席话公开于世以来，美国总统中从没有像罗斯福先生如此地能认清自己巨大任务的责任，以及通过那个巨大任务，他的国家所要他完成的的责任。

民主政治加了一种重荷在人类信仰上，当幻想破灭时，这种重荷往往使人难以忍受。可是作为天创政治目的中唯一合理的观念的民主政治，在经过外来种种打击以及内部种种腐朽之后，却依然能存在着。

如果今日民主政治还能被认为是人类的政治标准，这不得不归功于富兰克林·D. 罗斯福，他用自己的活力提出昔日的语言，使它灼热地从他嘴中吐出来。梵蒂冈信任罗斯福。受难的法国信任罗斯福。希腊信任罗斯福。波兰信任罗斯福。荷兰信任罗斯福。从数百年迷梦中醒来的中国信任罗斯福。多疑的拉丁美洲信任罗斯福。连受了毒的意大利也还能信任罗斯福。英国和帝国属地都信任罗斯福。

罗斯福：一九四一——一九四五年

柏园

《大西洋宪章》

罗斯福总统向国会提出租借法案的一年（一九四一），也就是他向世界宣布有名的四大自由的一年。这一年，在世界战争中占着很重要的地位，同时，这一年，在世界政治的发展上也占了很重要的地位。这一年的六月，希特勒向苏联进攻了；这一年十二月，日本袭击了珍珠港。当希特勒发动侵略苏联的战争时，他或者已引起一种幻想，以为可以把资本主义各国团结在暴君纳粹德国的周围，把从头就带有反法西斯性质的人民战争，转变而为资本主义世界的反苏战争。以美英为首的资本主义民主国家，在这严重的关头，受到非凡的考验。

八月里罗斯福和邱吉尔在大西洋的军舰上会晤，是确定民主各国所应依循的路线底重要里程碑。在这个会议中，似乎罗斯福总统曾努力说服邱吉尔，要他相信苏联的爱国战争是必定坚持的，而且和资本主义各国人民反抗希特勒压迫的战争，在性质上是一致的；同时，更重要的是，形式上未参与任何战争，但实质上因通过了租借法案而成为民主国兵工厂的美国，在贤明卓见的罗斯福领导下，努力说服英国——甚至强迫英国加强这一战争的民主性质，预先迫使英国放弃他的传统的帝国主义，而为战后世界的民主新秩序铺下了基石。这就是《大西洋宪章》(*Atlantic Charter*)的意义。可以说，没有罗斯福，在那个时期是决不会有《大西洋宪章》的。

在罗斯福的劝勉下，邱吉尔终于同意了共同发表这一历史性的文件。贯彻了罗斯福精神的《大西洋宪章》这样写道：

> 一、英美两国并没有领土扩张或其他扩张的野心。
>
> 二、英美两国不容许违反有关民族的自由

意志而作的领土变更。

三、英美两国尊重各国人民均有选择他们所喜欢的政府方式的权利；英美两国并且愿意使一切被迫丧失宗主权与自治权的民族，能够恢复他们所应享的权利。

四、英美两国在与他们现存的约束不相冲突之下，将努力使一切国家，不论大小，也不论是战胜国或是战败国，都能够以平等的条件进行世界贸易，和获取他们经济繁荣上所必需的世界资源。

五、英美两国将促使世界各国在经济领域内的密切合作，其目的则在保障各国劳动标准，经济进展和社会安全的改善。

六、在纳粹专制政权宣告最后的毁灭之后，英美两国希望建立和平，这将使各民族都能在他们各自的国境之内安居，并将保证生活在一切国土上的一切居民，都能自由生活，免除恐惧和匮乏。

七、这样的一种和平应该使一切人民都能

毫无阻挠地横渡公海和大洋。

八、英美两国相信世界各国，为了现实上的和精神上的理由，最后一定放弃暴力的使用。因为，如果让这些在自己的国界之外进行侵略或可能进行侵略的国家，继续保有海陆空军备，则未来的和平决不能维持；英美两国相信只有解除这些国家的武装，才可以建立一种比较广泛的和永久性的一般安全制度。英美两国同时将赞助并鼓励所有其他实际步骤，以便减轻一切爱好和平的人民底军备重担。

《大西洋宪章》的发表，显示了罗斯福的远瞻卓见。不管这部宪章在战后曾被近视的反动的政客们所违背，所撇开，但是它的历史意义是不可磨灭的。靠了这！资本主义反纳粹的各国，以英美为代表，第一次明白地显露和强调了他们的作战目的，不是在重新分割世界，而是在实现罗斯福总统所曾宣布的四大自由。这一宪章于是成为第二年一月一日在华盛顿签定的二十六国宣言的基石，二十六国宣言包括了美苏英中等反抗纳粹的国家，它劈头就这样宣称：

> 本宣言签字国政府，对于一九四一年八月十四日美国总统及英国首相共同宣言（即《大西洋宪章》）所包含的共同目的与原则，业经予以赞成。

而二十六国宣言又是未来的联合国组织的最初出发点。因此，可以说，《大西洋宪章》不但是盟国战时合作最初的桥梁，而且是盟国在战后合作的最初嚆矢。罗斯福在这宪章的公布中所扮演的任务，由此可以想见。

从租借法案的提出开始，罗斯福的生活就和世界人民的脉搏息息相关。然而从《大西洋宪章》的公布开始，罗斯福的历史就明明白白的变成世界史的一部分。罗斯福，从这时候开始，不仅仅是美国的公民，而且还是世界的公民；不仅仅是美国的首长，而且还是盟国合作的领导人。他的一举一动关系到整个世界了。

“抵抗响尾蛇”

必须注意，其时美国还没有对轴心宣战。八月十五日，罗斯福和邱吉尔向斯大林保证，他们将充分援助苏联。九月十一日，罗斯福严厉地抨击纳粹，称“纳粹的潜艇和海面袭击舰，即是大西洋上的响尾蛇”。他宣称：“当它们袭击悬挂美国国旗的船只时，即是危害公海上的自由通路，蔑视我们的主权，打击我们所最珍视的权利。”到十月二十七日美国海军日，罗斯福宣称：“美国商船必须实行武装，以抵抗海上的响尾蛇。美轮必须能以美国货物运往友邦的港埠。而美国海军亦必须予以保护。美国的海军，依循它一贯的传统，即‘管他有没有鱼雷，加紧向前开’。因此美国必能以物资运往抵抗希特勒的国家，这是可以断言的。”

战火烧到美国

这一年十二月七日，日本攻击珍珠港，因而把战争直接带到美国。八日，美国和英国对日宣战，十一日，美国国会对德意宣战。紧接着的一年，罗斯福总统领导美国整个国内战线向前进——罗斯福知道，必须加紧生产，才能够及时把租借物资输送给在作战中的盟国；才能够扭转战局，从而获取最后的胜利。

早就在一九四〇年五月，罗斯福鉴于国际局势的严重，认为战火迟早会燃烧到美国来的，所以他在那个时候便恢复国防评议会的设立，同时设置一个顾问委员会，将希尔曼（Hillman）引为劳工代表。当时是有不少人反对罗斯福把这一个产业职工大会（CIO）的领袖当做劳工代表的，有的人更善意劝告罗斯福，说最好劳工联合会（AFL）和产大（CIO）各有一个代表。然而罗斯福认为这反而不好，反而会发生更多的纷歧意见。一九四二年一月七日成立的生产管理局（The Office of Production Management），以纳生（William S. Knudsen）为局长，希尔曼为副局长。希尔曼和纳生之间固然发生了冲突的意见，但是管理局本身却也无权无勇——它唯一的任务只是调整陆军与海军定购物品和民用物品之间的不调和。后来纳尔逊((Donald M. Nelson)主持的“战时生产局”（War Production Board）代替了生产管理局，权限和效能才被提高了。虽然一般认为希尔曼在这当中并没有起巨大的作用，有的评论家则以为希尔曼的天才是在组织劳工作保卫民主的斗争，而不是在日常事务的行政方面。这一说自有它的理由。往后希尔曼在产业职工大会里所组织的政治行动委员会，就是一个明显的证明。

由和平进入战争

要把一个完全与战火隔绝开的国土上的生产，由和平时期进入战争时期，这是很不容易的事。这种扭转有时比之从战争回复到和平需要更大的坚毅，更多的精力，和更迅速有效的步骤。罗斯福在这一方面显露了他的卓绝的领导天才。在珍珠港事变那一年里面，租借法案实际上已于年初通过了，但是这一年（一九四一）所生产的小包车，依然在三百五十万辆以上，别的盟国可早已停止生产小包车，改制飞机和坦克了，为什么会如此呢？一个官方的出版物给了很好的回答：在十二月八日以前，战火表面上还没有认真烧到美国国土。

珍珠港事变是晴天里的一声雷！第二年（一九四二）一月六日罗斯福向国会要求加紧生产，就是美国走进战争的第一个重要措置。然而那是谈何容易的事情呵：罗斯福向国会提出，要把全国生产的一半献给“作战努力”，同时提出一九四二至四三年度的预算为五百六十亿元。其中百分之十五用以防御国土，但至少有百分之五十要拿来作战。罗斯福定下了高度的生产目标：一九四二年要生产六万架飞机，一九四三年——十二万五千架；一九四二年要生产四万五千辆坦克，一九四三年——七万五千辆。最使人吃惊的是，罗斯福竟提出要在一九四二年生产八百万吨的船舶——可是你得知道一九四一年全年在加速生产的口号下，才不过建造了稍为超过一百万吨！

罗斯福宣称：

> 只有这种全面规模的生产，才能够加速最后的全面胜利。速度是顶重要的。地方失陷了，可以克复；时间失去了，就永远不再来。迅速将会救活许多人命，迅速将能拯救这个国家！

这一年（一九四二），可以说，罗斯福总统集中全力在国内战线。他把一切可能的精力，把一切可能的人力，都集中在为生产而斗争的事业上。同时，我们也不能忘记，他还要抵抗在上升期的日本海陆空军在太平洋上的攻势，和抵抗还不曾走下坡路的粹纳海陆空军对供应线和个别战场的攻击。

为了生产的加速和生产量的增加，约莫有五分之三的主要作战物资订造契约是和一百所大企业签订的。钢铁、汽车、化学、造船这几门产业中的巨大的康采恩，在这上头扮演重要的脚色。但是如罗斯福、华莱士一贯的政策一样，他们决不会忘记中小工业。在这一年当中，有七万个重要的契约和七十万件次要的契约是和中小工业签订的。就在这一年的春天，汽车制造工业完全转变为坦克、飞机及其他作战物资的制造场，一切汽车都停止生产，制造汽车的机器全部改装，来生产作战物资。

但是到了一九四二年秋天，生产量却有减少的倾向，这是一个非常重大的危机。危机的来源主要是在于，第一，防御武器的生产已经足量，到这时应当改变为攻势武器的生产；这改变影响到生产的经常进程；第二，轴心的军事进展，曾使若干原料感到缺乏。必须克服这个危机，否则美国就不能在尽速的时期内赢得战争。

在国内前线，罗斯福这一年确实创造了奇迹。然而这奇迹不是天上掉下来的，它是循着贤明的领导下产生的必然结果。美国人民大众感到了他们对于反法西斯战争所负的责任，在罗斯福恳切的号召和合理的措置下，提供了在美国史无前例的合作。

首先，为了安定人民的战时生活——这是一个民主国家所异于独裁国家底主要特征之一——，罗斯福总统于一九四二年四月十一日建立了定量分配的制度，这个制度的实施，是由新设立的“物价管制局”（Office of Price Administration）执行的。物价管制局的另一主要目标，是要将波动的物价稳定在一九四二年三月的价格，以这一价格为最高价格，来防止生活费用的增加。靠了这一合理的有效的措置，一九四二年美国批发物价虽涨了百分之十，农产品价格虽涨了百分之二十二，但是已完全克服了第一次大战时暴涨的危机。从一九三九年夏季到一九四二年底，一般估计生活费增加了百分之二十一，但是珍珠港事变（一九四一年十二月）以后的时期，在物价管制和定量配给实行之下，生活费只涨了百分之八。

因为农产品价格作有计划的提高，刺激了农产品在一九四二年有巨大的增加；虽然劳动力和机器都缺乏，但是一九四二年播种面积增加了五百万英亩，这一点也是贤明的措施所得到的副效果。结果，这一年粮食供应提供了百分之十二，也因此在这一年，能够装运四十亿磅的租借物资往英国和苏联，而丝毫没有压低美国人的生活水准。

国内战线的斗争

美国有一幅战争招贴画，上面画着三个人：工人，农人，士兵，手挽着手前进。要赢得战争，工农兵在各条战线上同时挺进是必需的条件。在罗斯福的领导下，一千一百万工人的领导者们在一九四一年十二月二十三日自愿放弃罢工权利——这一表示是有条件的，只要工资按照着物价的高涨而增加，他们就无需乎罢工。一九四二年正月，除了物价管制局之外，罗斯福又设置

“全国战时劳工局”（National War Labor Board），协助物价管制局随时稳定工资和物价。

为了减少资本家提高物价的借口，罗斯福提出年薪五千元以下的一律加以冻结，不再调整；同时，为了限制资本家投机家靠战争发横财，罗斯福又提出了每年收入除付所得税外，不得超过二万五千元的规定——但后一提议却被国会所否决了。

尽管因物价波动而发生的经济性罢工在战争中仍时有发现，但是因为有了种种合理和必要的措施，所以在第二次大战中任何一年，罢工次数都少于一九一八年（上次大战最后一年，亦即美国实际进入战争的一年）和一九三七年。就统计数字来看，因罢工而损失的工作日（每人每日）数，在第二次大战中逐年减少。这一现象是非常难得的；一九三九年每一工人因罢工而损失的日数为十五天；一九四一年，即美国通过租借法案但尚未正式宣战的一年，损失为十天；一九四二年，美国正式在大西洋和太平洋对轴心作战，损失日数为五天；到一九四三年，盟国反法西斯战争已转入优部局势的一年，除了煤矿罢工之外，只有三天。——煤矿罢工是由路易士（John L. Lewis）的“矿工联合会”（United Mine Workers）所领导的，一九四三年曾发生四次，每次都有四十万矿工牵涉在内。

一九四二年罗斯福总统在国内战线以惊人的努力，打了一场胜仗。他为什么会打胜仗呢？在基本上固然是由于他执行民主的开明的政策；另一方面，则由于他的民主作风。他的一个同事和朋友曾经这样的说：“罗斯福的作风本身就是具有创造性的。他的作风是由友谊、鼓励和信任合成的。他不肯对下属给予直接的和特殊的指令；因此他不会消耗别人的创造性底精力。人们从他那里得到勇气，得到力量，得知目标的崇高，得到为了充分实现民主而必须获得的领导。他能够把许多活动弄得非常有效率。他的自由制度包括了：信任他的许多同事，和确认每一个人的价值和能力。”

卡港会议

当罗斯福致力于国内战线的整顿的这一年，盟国对抗轴心的军事进展，已渐渐显露出由被动变成主动，由防御变成进攻的转捩倾向。这一年，隆美尔（Rommel）在北非进行了他的最后一次的攻势，过此之后，就是英美联军在北非登陆（十一月），北非的战局显然改观。这一年，斯大林格勒的胜利（十一月）奠定了苏联反攻的始点。这一年，日本在太平洋上的攻势也已达到最高峰，过此在后，它就不再往上升了。

在国际政治上表现出来的，是美国和苏联和英国之间的日益亲近。这亲近的征兆表现在：这一年五月间英苏订立二十年的作战同盟暨战后合作互助条约，六月间美苏缔结了作战互助协定。同时，邱吉尔的聘问莫斯科，确立了英苏两国之间完全的相互了解。这一点对于后来的三强合作，是有着很大的意义的。

在国内前线打了胜仗，在军事前线至少阻住了轴心的进展，在国际政治上已经为三强团结铺平了道路——于是罗斯福总统从一九四三年开始，把注意力集中在两个方面上，一方面是盟国战时的合作，另一方面是盟国战后的合作。大体上可以说，从一九四三年开始，盟国就在各战线上开始反攻。因此，胜利虽然还很遥远，但胜利的局势已经定夺了；为加速全面胜利的早日到临，盟国在战时的合作就必须加强；又因为胜利之局已定，高瞻远瞩的罗斯福觉得从现在开始奠定战后合作的基础，已经有很迫切的需要了。

这就是从一九四三年到一九四四年到一九四五年初一连串具有重大意义（对作战和对战后）的国际性会议的来由。

一九四三年一月十四至二十六日在北非卡萨布兰卡（Casablanca）港的会议，就是这一连串的会议底开端。照罗斯福原定的计划，在这里他希望见到的不仅是邱吉尔，而且还有斯大林和蒋介石。但是后两者都不克参加，因此会议的前半部，是罗斯福和邱吉尔的会谈，后半部则是法国的两个抗战派（戴高乐和吉罗德）被介绍与罗斯福会晤。

罗邱会谈在军事上决定了下一步骤——即进攻西西里岛和把意大利击溃的战略；在政治上则决定敌人须"无条件投降"（Unconditional Surrender）。这句话是罗斯福提出的。而罗斯福则是借自美国内战时代的格兰特将军（General U. S. Grant）。罗斯福说，决不绥靖，决不谈判，如果得不到完全彻底的胜利，决不中止战争；

而所谓彻底胜利即意味着敌人必须无条件投降。

无条件投降原则在对德作战是实实际际地贯彻了的；在对日作战则表面上也是贯彻了的——但必须记得，当促使日本投降时，罗斯福总统已经离开这个世界三个月有多了。

这一次重大的决定，可以说，是罗斯福为缔造战后世界永久和平的第一步。新近有人故意曲解为这是罗斯福对苏联企图单独媾和的一种警告，这种曲解实在是不怀好意的。按事实来讲，这种曲解不但完全看不清楚当时的战争形势，不但侮蔑了苏联的军民，并且完全误解或故意曲解罗斯福精神。

卡港会议的另一部分显示了罗斯福对于戴高乐和吉罗德二人的卓见。罗斯福和戴高乐会见了之后，他认为他很不可靠。他对他的儿子伊利奥特·罗斯福这样说：

> 戴高乐预备出来在法国组织一个一人政府。我简直想不出另外一个人比他更靠不住的了。他的整个的自由法国的组织里充满了警察间谍，他用密探来侦察他自己的人民。在他，

所谓言论自由就是剥夺人民批评他的自由。在这种情形之下，谁又能完全信任在戴高乐背后支持他的那个力量呢？

另一个法国领袖——吉罗德在罗斯福看起来，也是太不中用。吉罗德对罗斯福说：“只要给我们武器，给我们大炮，坦克和飞机。这是我们全部的需要。”罗斯福屡次暗示他，说他未免把工作看得太容易了。但是这位将军脑袋里面似乎只装着武器的观点。因此，罗斯福对他的印象是很坏的。罗斯福说：

我怕我们现在是依靠在一根非常脆弱的芦苇上。——这就是墨非（美国驻北非的外交官之一）说的可以号召起法国人民的人！他是个毫不中用的行政者，也将是一个毫不中用的领导者！

一九四三年

从卡港会议（一月）到德黑兰会议（十二月）这

一年间，盟国的军事进展和国际合作是有了飞跃的进步的。不能不说，促成这种飞跃的进步，罗斯福的原则和作风是一个很重要的因素。

卡港会议之后的战局，大体上可以说，盟国完全反守为攻了。在北非战场，轴心的力量已告肃清；在苏联战场，苏军已转入全面的反击；在南欧战场，由于卡港会议的决定，盟军在西西里岛登陆，很快就使三个轴心之一的意大利，在九月间向盟国无条件投降。现在，盟国所要打击的只有德国和日本了，为了战胜德国，盟国之间进一步的团结，和在这团结的基础上开辟第二战场，已经是迫近眉睫的事；为了战胜日本，盟国也必须加强东方战场的反击力量。

八月间在加拿大奎比克（Quebec）举行的会议，由罗斯福、邱吉尔主持，中国则派宋子文代表出席，就是以加强远东战场的反攻力量为目标的。十月间英美苏三国外长在莫斯科的会议，是罗斯福总统期望已久的三巨头会晤的先声。三国外长的莫斯科会议，铺平了德黑兰会议的道路。这一次会议，不只讨论战争的主题，并且讨论到和平的主题。

外长会议发表了美苏英中四国关于普遍安全的宣言，决心作战到底，“直到这些轴心国根据无条件投降而放下了武器为止”，并确保四国自身以及盟国人民“摆脱侵略的威胁而获得解放”，认清“必须保证迅速而有秩序地从战争过渡到和平，且须确立并维持国际和平与安全，以便全世界人类和经济资源受军备的牵制达到最小限度”。

这一宣言完全符合罗斯福精神。罗斯福之所以伟大，就是因为他在战争中常常记住如何建立战后的永久和平。

与此同时，外长会议又宣称三国政府将于战后恢复奥大利的独立，宣称三国政府赞成意大利在退出战争之后恢复民主。

缔造和平的理想

罗斯福从战争的最初日子开始，他就为战后如何缔造和平这一课题，下了深刻的研究工夫。这就是他后来论到顿巴敦橡园会议（联合国组织的摇篮）时所说的：

> 顿巴敦橡园会议并非在一朝一夕之间促成的。赫尔国务卿和我曾以几年的时间从事思考、讨论、准备，并和各盟国从事磋商……（一九四四年十月二十一日在纽约外交政策协会演讲）

罗斯福在内政上的重要助手之一帕尔金丝（Perkins）曾经这样写道：“有一件事情是很清楚的：在战争的几年中间，他总是记住未来的和平。而且在战争的每一阶段上，他总是关心每一个胜利，能够如何嵌进世界未来的永久和平组织里去。”

这种伟大的理想贯彻着罗斯福的思想。这一年（一九四三）九月罗斯福对国会的咨文结语说：

> 我们随着战争的进展，设法使我们与他国合作，以求结束侵略和建立永久的国际关系。睦邻政策已在美洲半球获得这样的成就，所以，把它普遍推行到全世界去，似乎是合理的一个重要步骤。我们要这样做才能够不失信于

今天在国外为自由正义与安全而战的子女们。

他担心着“我们为战争而形成的团结”，不是“我们为建设和平而形成的团结，两者的距离相差太远了”。他担心着“战争终结以后——我们马上可以听到一种呼声，说我们的团结是可以不必要的了。那个时候才是我们的工作真真地开始的时候”。

另外，他所担心的是英苏之间不容易合得来。这，即使是在战争中也是很值得担心的。罗斯福曾这样说：

> 战争是变化不定的事情。要获得这次战争的胜利，我们必须与这一个盟国维持很困难的团结，而同时却显然地把那一个盟国置于不利的地位。要想获得这次战争的胜利，我们被迫采取一种战术上的妥协，这妥协必然地要得罪苏联，而使我们将来不得不采取另一种妥协，而这另一种妥协又必然地将得罪英国。总而言之，战争的迫切的需要主宰了一条艰难的道路。（见 *As He Saw It*）

在这期间，另一种伟大的意念在罗斯福的心中生长。“当胜利莅临的时候，”他说，“非等到被侵略的国家恢复法律秩序，其人民获得正常的健康，足以生存那一天，决无安全和平可言。”（见一九四三年十一月九日演说）

因此，在罗斯福总统的倡导之下，四十四个国家的代表在白宫签订了联合国善后救济协定。协定的序文这样说道：

任何区域在解放以后，那里的人民马上就能够得到救济和衣食住方面的协助，并且帮助他们预防灾疫，恢复人民的健康，从事准备和部署使俘虏和流亡的人民得重归故居，而且协助他们重新从事急需的农工业生产，恢复各种重要的服务。

罗斯福在赞扬这一明智的预防措置时，他这样说：

我们推行救济与善后的工作愈广泛，则我们

在海外的子弟愈能早归故国。我们曾与其他联合国合作，将其原料，生产及其他资源，用以击败共同敌人。我们曾和其他国家合作，以全力从事海陆空战事。我们现在正拟采取为获致胜利和奠定安全和平基础所必要的其他联合行动。

柔弱的男女在轴心铁蹄下横遭蹂躏，我们仅能以全世界的生产平衡全世界的需要，才可以解除他们的痛苦。我们已经在善后救济总署中策划机构，以真正的民主为基础，以便在推翻轴心以后极端紧张的日子中，能够向这个目标前进。（一九四三年十一月九日演词）

联合国善后救济总署的成立，用罗斯福的话说，是“面向免于匮乏的自由底实际实现，跨出勇敢的第一步”。

国际合作与美国国会

像这样子，罗斯福领导下的美国，就一步一步走向国际合作。为避免像上次大战后参议院拒绝通过参加国联促见，罗斯福总统除了在事实上促成战后合作的可能性之外，还在法律上作了必要的准备。

这表现在：

一九四三年九月二十一日，众议院以三六〇对二九票通过了《福尔伯拉特决定》(Fulbright Resolution)，批准美国可以参加建造一个适当的国际机构，这个机构有相当的权力，足以建立和维持一种正义的和持久的和平。

同年十一月五日，参议院以八十五对五票通过《康纳利决案》(Connelly Resolution)——这在实际上和莫斯科会议所发表的普遍安全宣言是完全一致的。

上面所曾提到过的普遍安全宣言第四条说：

> 在可能实行的最早的日期，确立一种普遍的国际组织，以所有一切爱好和平的国家主权平等的原则为基础，这些国家不论大小都可加入为会员国，以维系国际的和平与安全。

《康纳利决案》宣称：

美国通过法定手续，可与自由独立各国共同组织及维持一个国际机构，这个机构有力量足以防止侵略和保障世界和平。

于是乎未来国际组织的建议——这是罗斯福梦寐不忘的——就在国内取得了合法的基础。

开罗会议和德黑兰会议

现在，一九四三年年底，各战线的进展使这一伟大的理想更加需要彻底的研讨了——罗斯福所渴望已久的与主要盟国领袖的会晤，终于以两个会议的形式实现了。

由于斯大林元帅认为苏联尚未对日宣战，不愿与蒋委员长共同开会；因此，从十一月二十二到二十六日，罗斯福在开罗与邱、蒋会谈，从十一月二十八日到十二月一日，罗斯福又到德黑兰去与斯、邱会谈。这就是有名的开罗会议和德黑兰会议。

开罗会议是决定了远东战争与和平的。关于这，罗斯福自己这样说：

（在开罗会议上）我们不仅解决了具体的军事计划，并且曾商讨若干具有远大影响的原则，我们相信这些原则必能保障远东未来的若干世代。这些原则，都极简单而且基本，其中包括以被劫的财产归还应得的主人。这些原则承认了远东亿万人民的权利，使他们能够树立他们各自的政府形式。永远消灭日本，使它不能够成为侵略的潜势力，乃对于太平洋及世界其他部分和平与安全的必要措施。

比较起来，德黑兰会议更具重要的世界意义。“在三日内的紧张与不断友好讨论的期间内，我们对于向德国发动大规模进攻有关的每一点，都已商得同意。”罗斯福说。

德黑兰会议的公报非常简短。主要的几句话就是：

关于战争方面——我们的军事参谋曾参

加我们的圆桌讨论，我们已经议定了关于将德军消灭的计划。我们已就将从东面，西面，和南面进行的军事行动的规模和时间，商得完全的协议。我们在这里达到的共同默契，保证胜利一定是我们的。

关于和平方面——我们确信：我们的和协，必将使和平成为一种永久的和平。我们完全承认我们以及所有联合国家负有无上的责任，要创造一种和平，这和平必将博得全世界各民族绝大多数人民大众的好感，而在今后许多世代中，排除战争的灾难和恐怖。

关于这，罗斯福总统曾有这样的一段话：

英美中苏及其盟友，代表全球人口四分之三强，这四个国家一日以其强大的军力团结一致，决心保持和平，则侵略国即一日不能起而发动另一次世界战争。但是这四个大国，必须与欧亚非美各洲一切爱好自由的民族团结合作。每一个国家，不论大小，它的权利均应受尊重与保护。我们对于这件事的关怀程度，应与尊重和保护我国内每一个权利的程度相等。我们的敌人所依循的原则，是恃强凌弱的原则，这是我们所反对的。但同时我们却一致认为假如我们需要武力来维持国际和平，则国际武力将使用到无须再行使用而后已。（《罗斯福对德黑兰会议的报告词》，一九四三年十二月二十四日）

罗斯福关于战后世界和平组织的理想，在这寥寥数语中已经大体上出现了雏形。

在这一次会议上，罗斯福很久以来就希望着的一件事，实现了。这就是和斯大林会晤。后来他在上引的报告里，曾这样的说道：

我现在可以引用美国一句不成文法的俗语，即我和斯大林委员长相处得很好。他是一个具有极大坚忍决心而又有强烈的善良气质的人物。我相信他是苏联人民的真正代表。我相信我们和他以及苏联人民，都将相处得很好，而且确实相处得很好。

他的助手之一帕尔金丝曾在她的回忆录里写道："他（罗斯福）觉得他和斯大林元帅很合得来。他欢喜他，认为他极为可爱。他对于言语隔阂这一点感到相当的遗憾，但他却常常打电报和寄信给斯大林。我看见过关于美国邀请苏联参加国际劳工组织的电报往来。……当斯大林回电说他希望把这问题稍为搁一搁时，我向罗斯福提议再迫他去考虑一下，然后给一个决定性的答复。

"不，我不想迫他去，"罗斯福说，"我喜欢这个人。我打算和他好好的来往。我们往后还是可以谈的。"

顿巴敦橡园会议

从德黑兰会议到下一次的三巨头会议（雅尔达），

相隔整整一年零一个月。在这些日子里面，盟军的进展是惊人的。四月，俄罗斯战线全面进展，克复克里米亚。六月，盟军在西欧登陆，开辟第二战场。八月，巴黎解放。九月，东西两方面的盟国向德国心脏节节推进。十月，美军在菲律宾登陆，得了一次决定性的海战胜利。一切的进展甚至使人以为欧洲的战争会在一九四四年底结束。

在这一年间（一九四四），罗斯福关切着未来世界和平组织如何建立问题；也是在这一年，罗斯福必须以加倍的精力，作竞选运动。任何一个爱和平爱民主的人，即在当时也可以毫不踌躇地指出：罗斯福第四次继任总统，对于战后世界的局势将有莫大的裨益。

这一年的春天，四强的专家对于建立国际货币基金交换了意见；这一年的夏天，盟国的代表们齐集在顿巴敦橡园，商讨战后的和平机构，建议设立一个叫做“联合国”的国际组织，提出“国际安全组织建议案”，这就是后来联合国宪章的雏形。罗斯福总统对于顿巴敦会议，如上面所说，曾给予非常的关心，并且可以说，如果没有罗斯福及其贤明的幕僚几年来的研究与准备，在那样匆匆的会议上，决不可能有如此的成就。

为什么罗斯福对这一次会议特别关切呢？因为这是实现四大自由的最初一步。“我们单独不能达成我们的伟大目标。”罗斯福自己这样说，“我们和世界其他国家共同作战使我们的生活方式得以免于危亡之后，我们有前车之鉴，再不能再摆脱我们用战争换来的和平。”

关于这个未来的组织，罗斯福说道：

> 我们目前致力于和平机构，足以证明各大国之间正以互信的精神合作。不论我们对这问题的看法如何，结果却一定相同的，即：假如我们不和其他大国合作，则将来会有一天和他们作战。……盟国今日的合作实在是人类历史上的创举。我们以密切，和谐，和有效的方式从事作战。同时又以同样方式建立和平。假如我们对和平方面不能维持这种关系，不能扩大和加强这种关系，则将没有持久的和平。（一九四四年十月二十一日在美外交政策协会上演词）

事实上，在德黑兰会议之前，罗斯福心目中的世界和平图案，就已经在大体上与顿巴敦橡园的建议案相近似了。——或者更准确的说，是这一建议案充分的包孕了罗斯福多少时日以来的一些理想。在一九四三年，罗斯福便已经认为战后世界和平的基础，应该和必须建筑在美苏英这三个国家的密切团结上；这三个国家中任何一国，如有相反的意见，就可以否决任何一个重要的议案。这就是后来五强否决权的张本。罗斯福早就不止一次说过，他同意在必要的场合，可以用武力来维持和平。他认为“殖民地制度就是制造战争”，从殖民地国家中搬走一切财富，这种行为就等于埋伏下战争的导火线。也即是说“在和平的机构尚未开始以前，你已经在否定了和平机构的价值。”这些后来都成为建议案的基础。

竞 选

一九四四年下半年，罗斯福进行竞选。他一如往昔，到各地去巡回演说。这些工作，对于一个在几年间从未知什么叫做休息的人，是过于紧张的，但是他从竞选演说回来的时候却重了十磅，身心愉快而且安适。

罗斯福的政敌——以共和党的候选人杜威为首，在选举中用了极大的力量企图击败他，他们甚至用最卑污的手段来污辱他；他们竟把业经处决的著匪的照片和罗斯福总统的照片刊在报纸的同一块地方，说总统也是匪类。同时又因为得反动大资本家们支持，有钱有势，抓住了战时人民所受的痛苦和“新政”实行下的若干行政上的缺点做宣传资料，攻击罗斯福。但是他们的一切企图都是枉然的。人民大众知道谁是他们的救主，谁是他们的敌人。希尔曼领导的“产业职工大会政治行动委员会”和自由主义者合组的“独立公民政治行动委员会”发动了巨大的群众运动来拥护罗斯福，他们提出口号，谁放弃一张票，就等于增加反对派一票——因为：善良的公民还不十分习惯于尖锐的政治斗争，尽管他们心目中颇想罗斯福当选，但自己却并不起劲去投票，而反对派则动员了一切可能的票数，企图压倒罗斯福。

这两个团体果然有了很大的成绩，善良的公民在他们提醒之下提高了警觉性。可是这样一来，他们就立刻成为所有反动势力众矢之的。他们不仅以这两个团体

"赤化"来恐吓资产阶级与中等阶级，他们甚至以劳工为罗斯福所"偏宠"去挑拨农民对罗斯福的感情。但是这一切卑劣的煽动，终于也失败了。

罗斯福第四次当选总统。

罗斯福的健康情况

这一年冬天罗斯福害过一次很严重的伤风，大家都知道这不仅仅是普通的伤风。在伤风之前，他曾患过一次喉炎。但其时华盛顿伤风流行，谁都不去想它，但是经过几个星期还没有好，大家就觉得有点不对了。他这一次患的是一种复杂的伤风，并发支气管炎，可能还带少许肺炎。可是不久他也总算复元了。

就职那一天，他的精神焕发，他发表了很简短的演说。这是他四次就职演说中简最短的一次。和以前三次就职日所不同的，只是他不再接见大批宾客，只接待了从老远跑来庆贺的几个密友。

在战争的日子里面他老多了。他的头发稀疏而且花白了。他的面孔已经有了绉纹。一九三三年的雕像和一九四〇年的雕像之间，差别实在太明显了。面孔已经厚得多；他更加像德拉诺家族了，更像他的叔叔和他的母亲了。他已经消失了一直保持到一九三三年和一九三四年那样子的一个清瘦的年轻人的相貌。这，一部分是因为刻板的生活而起的，另一部分则由于工作过多，吃得过多——他的食欲很强。他几乎不知道他在吃什么，但似乎什么东西他都觉得好吃；他不加思索就会吃掉一大堆东西。他的医生也劝他减食。但是他的精神依然很好。战争的紧张虽然消耗他大部分的精力，可是他仍念念不忘和平的重建。

雅尔达会议

其时，他筹备一次新的三巨头会议，这就是雅尔达会议，他不惜跋涉长途，取道马尔他岛和埃及，然后乘飞机经希腊南端，再向东北横跨爱琴海及黑海到达克里米亚。为了参加这一次的会议，和在会议前后访问其他地区，罗斯福离开美国凡五个多星期，这是他到国外去参加会议所花的时间最长的一次。

雅尔达会议由二月二日开始，继续了八天，得出了辉煌的成果。罗斯福和斯大林、邱吉尔不仅商定了如何加紧击溃德国，并且重申“为和平而团结正如为战争而团结的决心”。他们同意欧洲的被解放国家和以前的轴心附庸国成立他们各自选择的政府。此外，斯大林向与会者保证在击溃德国之后三个月内对日宣战。

这个历史性的会议——罗斯福所参加的最后一次的国际会议，还决定了一个重要的课题：尽可能从速建立一个一般性的国际组织，以维持和平及安全。这，如公报所说，“在顿巴敦橡园会议中已经奠定了基础。‘并且决定于这一年的四月二十五日，在旧金山召开联合国会议’，以便依照在顿巴敦橡园非正式会议中建议的方针筹备这一种组织的宪章”。

罗福斯多少年来所日常系念着的理想，快要实现了，虽然照罗斯福天真的想法，这个国际组织的成员，不仅仅代表政府，还代表有关的人民。帕尔金丝有一次问他说：

在新的国际组织里面，是不是有可能每一

个国家派来一个人民代表呢？

罗斯福的答案是：

> 我不相信目前这个办法是行得通的。我们这必须沿着我们的传统。我们还存在着偏见。但是我希望有一天会有那一类的事情发生。当然，假如人民和政府截然分开的时候，人民是应该导入每一种的国际组织去的。

最后的日子

带着喜悦的心情，拖着疲乏的身体，罗斯福回到了美国。他准备迎接即将到临的胜利。更重要的是，他准备迎接即将形成的新理想。

四月初，他到温泉去休假——去准备甲克逊日（Jackson）的演词和旧金山联合国开幕词。他准备在四月二十五日亲自出席旧金山会议，然后他计划渡海访英。他确信欧洲的战事到五月底一定结束。

但是——四月十二日他就离开了这个世界，留下一个暂时没有舵手的美国，漂荡在漆黑的汪洋里。

杜鲁门政府如何背弃了罗斯福道路

罗斯福逝世之后，按照美国宪法，由副总统杜鲁门继任。一九四五年这一年，平稳的渡过了，杜鲁门可以说还不得不依循着罗斯福的道路。从四月到六月，原定的旧金山会议在比较上可以说和谐的空气下面开过，罗斯福日夜不忘的联合国理想得到了初步的实现。其时对德作战已经胜利地结束了。为了处理战后的德国问题，美苏英三巨头在七月间举行了菠茨坦会议；这一次会议的决定，还是和罗斯福精神相一致的。接着对日作战也胜利地结束了。杜鲁门领导下的美国政府，其时已经开始表现出相当恶劣的倾向，这表现在对日的管制政策上，也表现在对殖民地问题（例如印尼）的处理上，同时表现在五国外长在伦敦举行的会议上。五国外长会议不欢而散，已表现出美国政府如何不尊重国际团结的志向了。但是反动政客们还不敢走得太远——因而有了丨二月的莫斯科会议。美苏英三国外长在莫斯科的会议，奠定了对前轴心附庸国和约的基础，处理了有关远东战后局势的诸实际问题。

但是从一九四六年开始，杜鲁门政府就一天比一天更加违背罗斯福时代的精神。首先，罗斯福时代实行“新政”的一些干员，被从政府清除出去了。——到了九月间华莱士被迫辞职这一事件，就是这一倾向的最高峰。在国内政策上，杜鲁门政府已完全浪费了已故罗斯福所创造的道义上与政治上的资本，物价管制局给取消了，大资本家的贪欲一次又一次的被填满了，人民大众的生活一天比一天的恶化了。“新政”已被抛在脑后；唯一可惜的是国会（罗斯福时代的遗留）还不能完全“合作”。到了这一年十一月大选中，反动派控制了国会之后，这一点保留也给完全剥去了。新的唐吉诃德们通过了一系列反劳工法案，通过了一系列维护大资本家利益的法案，杜鲁门政府于是彻底地背叛了罗斯福，公然向人民进攻了。

对外政策是对内政策的继续。对内政策既然彻底违背罗斯福精神，对外政策自然决不可能与罗斯福精神相符合。罗斯福离开这个世界之后一个短期间里面，如上面所说，这个在作战中的美国多少还依循着他的路线，但愈来愈离开远了，到一九四六年十一月共和党和民主党的反动派在大选中获胜，霸占了国会之后，美国的对外政策就更加走上与罗斯福精神完全相反的方向。

罗斯福日夜不能忘怀的是建立一个强有力的国际机构，他在作战的几年间一刻都不放松为着这一目标而作的努力。但是杜鲁门政府到了一九四七年三月公布所谓杜鲁门主义的路线时，即使不能说已彻底放弃联合国，至少应该说战后的美国政府已经不重视这一机构了。罗斯福曾不断致力于盟国的团结合作，杜鲁门政府则竭力用种种事实来破坏这种团结合作。罗斯福曾使美国成为英苏之间的桥梁，杜鲁门政府则害怕英苏的接近，而以反苏的幌子引诱英国结成所谓美英集团，从而支配整个英国。罗斯福曾认为殖民地制度就是引起战争的导火线，可是杜鲁门政府却正在各处燃烧起这导火线，它自己更利用经济上和军事上的优势，在叫嚣的反苏烟幕下，建立新的实际上的殖民地。一切都循着与罗斯福路线相反的方向进行，这就是战后美国在杜鲁门政府及其主人独占资本家们的道路。无怪乎中间偏左的中等阶级人士如华莱士等，也不断的嗟叹已经消失了的罗斯福时代，和已被背弃了的罗斯福新政了。

然而美国人民怀念着罗斯福。英国人民也怀念着罗斯福。苏联人民自然怀念着罗斯福。苦难的中国人民更加怀念着罗斯福。罗斯福的理想曾在他们的面前发光。是罗斯福四大自由的理想，使盟国的人民比任何时期更加勇敢的投入战争，投入击溃纳粹轴心的战争！现在，他们看见杜鲁门政府背弃了这理想，他们是多么痛心呵；可是他们——盟国的人民，为了实现这一理想，他们要在国内能安定而且丰足地生活，要在国际上各国和平合作，他们的力量将要汇成一条洪流，自己去争取这一伟大的理想底实现。全世界罗斯福精神的儿女们正在向着这一目标迈进！

罗斯福年谱

一八八二年　出生

一月三十日罗斯福生于海德公园。在这之前一年（一八八一），巴拿马运河开始建筑（至一九一四年完工）。

一八八三年　一岁

法国并吞安南。卡尔·马克思卒（一八一八——一八八三）。

一八八四年　二岁

帝国主义各国争夺非洲殖民地。

一八八五年　三岁

柏林条约成立，帝国主义各国对瓜分非洲殖民地得到协议。

一八八六年　四岁

英国合并缅甸。

一八八七年　五岁

英意协定，维持地中海现状。

一八八八年　六岁

威廉二世就德王位。

一八八九年　七岁

第一次泛美会议在华盛顿举行。

一八九〇年　八岁

英法协定分割非洲殖民地。飞机发明。

一八九一年　九岁

英葡、英意就殖民地成立协议。

一八九二年　十岁

欧洲社会陷入不安（至一九〇三年）。

一八九三年　十一岁

一八九四年　十二岁

德国基尔运河竣工（北海至波罗的海）。加拿大发生金融恐慌（至一八九五年）。

一八九五年　十三岁

德国通过反革命法案。英俄划定帕米尔势力范围。

一八九六年　十四岁

罗斯福进格鲁顿预备学校。英法协定保证暹罗领土统一。美国有采用金本位之议；这一年土希发生战争（至一八九九年）。

一八九七年　十五岁

无线电发明。这一年圣诞节罗斯福与伊丽诺第一次会面——后来她就成为他的夫人。

一八九八年　十六岁

美国和西班牙为争夺殖民地发生战争。为战争引起了热情的罗斯福，偷偷地要加入海军，因病未果。俾士麦卒（一八一五——一八九八）。英德秘密协定，瓜分葡萄牙殖民地。

一八九九年　十七岁

美西战争激化。美国国务卿海氏宣布对中国“门户开放”政策。

一九〇〇年　十八岁

罗斯福进哈佛大学。这一年美国采用金本位制。

一九〇一年　十九岁

西沃图·罗斯福就任美国总统。第二次泛美会议在墨西哥城举行。

一九〇二年 二十岁

西伯利亚铁道完成。

一九〇三年 二十一岁

罗斯福任哈佛《绯红报》总编辑，向伊丽诺求婚。英国宣言支配波斯湾。

一九〇四年 二十二岁

罗斯福在哈佛大学毕业，入哥伦比亚法学院研究法律。日俄战争于二月爆发。

一九〇五年 二十三岁

罗斯福家族的西沃图·罗斯福第二次连任美国总统。罗斯福与伊丽诺结婚。俄罗斯发生革命，“红星期日”大屠杀。

一九〇六年 二十四岁

第三次泛美会议举行。

一九〇七年 二十五岁

罗斯福修完哥伦比亚法学院的功课，经过律师考试，加入一个法律事务所做事。

一九〇八年 二十六岁

塔虎特被选为美国总统。美日协定维持太平洋及中国现状。

一九〇九年 二十七岁

罗斯福参加州参议员竞选。

一九一〇年 二十八岁

罗斯福就任州参议员，属民主党，代表海德公园选区。日俄协议维持满洲现状。

一九一一年 二十九岁

罗斯福为民主党总统候选人威尔逊竞选而作种种努力。欧洲局势紧张。

一九一二年 三十岁

威尔逊就任美国总统；罗斯福再度就任州参议员。第一次巴尔干战争爆发。中华民国成立。

一九一三年 三十一岁

罗斯福辞去州参议员职，就任海军部次长。第二次巴尔干战争爆发。英法协商强化。

一九一四年 三十二岁

第一次世界大战爆发；威尔逊发表中立宣言。罗斯福参加参议员竞选失败。

一九一五年 三十三岁

罗斯福被任为旧金山博览会委员。欧战激化。

一九一六年 三十四岁

罗斯福实际上等于代理海军部长，因为他的上司专心于竞选工作。

一九一七年 三十五岁

美国对德宣战，罗斯福亲自赴欧洲视察。俄国发生社会主义革命。

一九一八年 三十六岁

欧战结束，罗斯福奉派赴欧；他拒任纽约州长。

一九一九年 三十七岁

罗斯福奉命抛售美军在海外的剩余物资。西沃图·罗斯福逝世。《凡尔赛和约》成立，准备建立国际联盟。这一年美国国会反对威尔逊在和约签字。反对参加国际联盟。

一九二〇年 三十八岁

国际联盟正式成立，没有美国参加。罗斯福七月被民主党推为副总统候选人，竞选失败。美国参议院否决对德和约。

一九二一年 三十九岁

罗斯福在纽约市重操律师业务；从这年一直到一九二八年，任纽约市 Fidelity and Deposit Co. 的副主任。这一年夏天罗斯福沿海湾出游。在坎普贝罗忽然感染小儿麻痹症，结果使两脚行动不便。

一九二二年 四十岁

罗斯福的病状转佳，这一年夏天他已经能支着手杖走动了。墨索里尼进军罗马，成立法西斯独裁。苏联正式成立了。爱尔兰自由邦成立了。凯末尔领导的土耳其国民党军战胜了希腊军。

一九二三年 四十一岁

罗斯福仍任上述公司的职务，一直到一九二八年为止。洛桑条约签字；土耳其成立共和国。

一九二四年 四十二岁

罗斯福到温泉去医病。英法意等国承认苏联。外蒙宣言独立。

一九二五年 四十三岁

罗斯福又往温泉治病，大有起色。罗加诺会议开始。托洛茨基去职。兴登堡当选德总统。

一九二六年 四十四岁

春天，罗斯福把他的温泉治疗法提供整形治疗协会。协会证实了他的说法。于是罗斯福把温泉买下来，创设乔治亚温泉基金，开办不求营利的机构——后来他就逝世于此——。英国矿工总罢工，欧洲相当的动乱。中国大革命开始。

一九二七年 四十五岁

英苏绝交，中苏绝交。在苏联托派被清算。

一九二八年 四十六岁

罗斯福选为纽约州长。非战公约在巴黎签字。

一九二九年 四十七岁

美国发生深刻的经济恐慌。胡佛任美国总统；工党麦唐纳在英国组阁。英苏复交。苏联实行第一次五年计划。

一九三〇年 四十八岁

罗斯福再度被选为纽约州长。伦敦军缩会议开幕。

一九三一年 四十九岁

九月日本进占沈阳，从而进占东三省。西班牙发生革命，成立共和政府。

一九三二年　五十岁

罗斯福被选为美国总统。“一·二八”之战（日本突攻闸北），美国宣称不承认非法占领。中苏复交。国联调查团抵华。美参议院通过菲律宾在十二年内独立。

一九三三年　五十一岁

罗斯福就任总统。同一年，希特勒的纳粹党夺取德国政权，成为德国的独裁者。而罗斯福却成为经济萧条的美国底救星。他聚集了有力的“智囊团”，实行“新政”。三月十二日，罗斯福发表第一次炉边闲话，向全国人民解释银行事件。三月十六日，他提出商业调整法案，五月十七日，他提出工业复兴法案。新政开始了。苏联实行第二次五年计划。美国正式承认苏联。德日退出国联。美国金融恐慌，禁银出口，废止金本位。资本主义各国在伦敦召开世界经济会议。

一九三四年　五十二岁

苏联加入国联。德总统兴登堡逝世，由希特勒兼任。德宣布无力偿还外债。美国加入国际劳工局。

一九三五年　五十三岁

萨尔举行公民投票，并入德国。苏联清党。

一九三六年　五十四岁

十一月美国大选，罗斯福第二次被选为总统。这一年，日德防共协定签字。德国武装莱茵地带。意大利进攻阿比西尼亚。法国人民阵线政府成立。西班牙人民阵线政府强化，七月，佛朗哥率兵叛乱，西班牙发生内战。

一九三七年　五十五岁

十月三日，罗斯福发表有名的“防疫”演词。美国发生经济恐慌。苏联通过新宪法。西班牙内战激化。日本全面进攻中国。

一九三八年　五十六岁

罗斯福向国会咨文，要求强化国防。美国向日本重申对华门户开放机会均等原则。意大利侵占阿比西尼亚；德国侵占捷克苏台德区，捷克政府改组。德国合并奥国。

一九三九年　五十七岁

英法苏谈判决裂；德苏签订互不侵犯协定。德国侵略波兰，向英法等国宣战。西班牙共和政府溃败，佛朗哥独裁政府成立。苏联实行第三次五年计划。罗斯福写信给希特勒，问他愿不愿保证在至少十年间不侵略二十个独立国，希特勒加以耻笑，而不答复。罗斯福提议撤销军火禁运案，在九月欧战发生之后，国会通过这一法案。

一九四〇年　五十八岁

世界性的战争在欧洲和亚洲激化；德军侵入法国和别的欧洲国家，英国在危急中苦撑着。罗斯福第三次被选任美国总统。这在美国是第一次发生的事。

一九四一年　五十九岁

一月，罗斯福向国会提出租借法案，使美国成为民主国的兵工厂；同时在一月六日对国会咨文时，他提出四大自由为未来世界的标的。三月，国会通过这法案。六月，德国侵苏。八月，罗、邱在大西洋会晤，发表《大西洋宪章》。罗斯福对苏联援引租借法案。十二月，日本突袭珍珠港。美国对日宣战，接着又对德意宣战。

一九四二年　六十岁

世界各处的战争激化着；民主国家在苦撑着。罗斯福全力整顿国内生产阵线。

一九四三年　六十一岁

一月，罗、邱在卡港会议，议定无条件投降原则。八月在奎比克会议，讨论英美战略。十一月，罗斯福与邱、蒋举行开罗会议，十二月，与斯、邱举行德黑兰会议。盟国在军事上已转入主动。

一九四四年　六十二岁

七月，罗斯福在珍珠港与太平洋区诸将领会议，决定反攻战略。八月，罗斯福视察阿留申基地。十一月，罗斯福第四次被选为美国总统：在美国历史上这是破天荒的事。六月六日盟军在西欧开辟第二战场，与东线苏联夹击纳粹。

一九四五年　六十三岁

一月，罗斯福就任第四届的总统。二月赴雅尔达与斯大林及邱吉尔会晤，商定有关战争与和平的基本问题。决定于四月廿五日在旧金山召开联合国会议。三月一日罗斯福回到华盛顿，不久往温泉休息，四月十二日突然病逝。四月十四日遗体运回海德公园安葬。

四月廿五日旧金山会议如期举行。五月九日德军无条件投降。这一年八月，日本无条件投降。第二次世界大战结束。

后　记

这本书的中译本是一九四五年一月——即罗斯福就任第四次总统的那一个月——在重庆印行的。原书虽引用了一点点一九四三年的材料，但实际上是讲到一九四一年初租借法案通过的时候为止的。中译本出版后不到四个月，罗斯福总统逝世，于是，从一九四一到一九四五年这一段历史，本来已经是非常重要的了；这样一来，就更显得重要。但是原文战后有没有新版，我们此刻还不知道;《纽约时报》的书评周刊有一次曾检阅了有关罗斯福传记这一类的全部著作，可是其中偏漏了这一本。印行中译本的出版家，为了使读者更加明了这一段重要的历史起见，打算在译本后面增补一章，叙述罗斯福总统的最后几年的生活，再附论罗斯福精神在今天如何被美国政客所违背。这种增补有两种方式：一是摹仿原作者的笔调，一是择现成的论文辑译；前一种方法虽似比较完整，但不容易做得到，做得不好，反而弄糟了原作；后一种方式似乎容易，但选来选去，结果还是选不出完整的一组论文。因此，受委托增补的人，就只好硬着头皮，把手头所能得到的一点点材料，写成现在附在书末的这一篇不到二万字的东西；另外增补了原书的过于简略的年表，成为现在的年谱，按照原书排在全书之末，给读者做参考。这些增补的东西，与原书自然不十分溶成一体，不过提供一点事实，使读者更加明了这个伟大人物的理想和实际罢了。

柏园

一九四七年八月。

三联经典文库第二辑简目

《游击战教程》　明凡 / 著

《游击战术纲要》　陶剑青 / 编著

《汪精卫卖国的理论与实践》　钱俊瑞 / 著

《抗战以来》　韬奋 / 著

《陕行纪实》　楚云 / 著

《随军散记》　沙汀 / 著

《被日寇囚系半载记》　王研石 / 著

《倭营历险记》　房沧浪 / 著

《活跃的新西北》　田影 / 编著

《保卫华北的游击战》　刘清扬　陈北鸥等 / 著

《徐州突围》　《徐州突围》编委会 / 编

《沦亡的平津》　长江　小方等 / 著

《淞沪火线上》　胡兰畦等 / 著

《瞻回东战场》　长江　罗平 / 著

《东线的撤退》　胡兰畦等 / 著

《抗战中的西北》　徐盈 / 著

《鲁闽风云》　徐盈等 / 著

《西线生活》　西北战地服务团集体创作

《中国解放区见闻》　［美］福尔曼著 / 朱进译

《全面抗战论》　潘汉年 / 著

《日本的间谍》　范士白自述 / 尊闻译

《日本大陆政策的真面目》　国难资料编辑社 / 编

《民众动员论》　李公朴 / 著

《中国外交史》　钱亦石 / 编著

《太平洋军事地理》　蒋震华 / 著

《世界经济地理讲话》　思慕 / 著

《列强军力论》　［德］马克斯 · 威纳尔著 / 宾符　仲持　梅益等译

《近代国际关系史》　张铁生 / 著

《太平洋现势手册》　沈志远　石啸冲 / 编著

《近代世界政治史》　钱亦石 / 著

《从战争到和平——一九四五年的世界政治》　乔木 / 著

《战后日本问题》　思慕 / 著

《最近一年间的国际动态（1946.7–1947.6）》　《东北日报》社 / 编

《论政党》　翟放 / 著

《法与宪法》　韩幽桐 / 编著

《中华民国宪法刍议》　罗家衡 / 著

《民主 · 宪法 · 人权——作之民》　费孝通 / 著

《宪法论初步》　潘念之 / 著

《对反民主的抗争》　韬奋 / 著

《农村改进的理论与实际》　江恒源 / 著

《上海产业与上海职工》（上下）　朱邦兴　胡林阁　徐声／合编

《陶行知教育论文选辑》　陶行知著／方与严编

《中国通货膨胀论》　杨培新／著

《中国及其未完成的革命》　H·普拉特著／蒋天佐译

《中国的建设问题与人的训练》　卢作孚／著

《论中国特殊性及其他》　艾思奇／著

《中国经济问题讲话》　钱俊瑞　徐雪寒　王渔邨　姜君辰　骆耕漠／合著

《中国经济的道路》　许涤新／著

《中国财政之病态及其批判》　孙怀仁／著

《官僚资本论》　许涤新／著

《五四运动之史的评价》　陈端志／著

《中国通史简编》（上下）　中国历史研究会　范文澜／主编

《论文学的工农兵方向——读〈在延安文艺座谈会上的讲话〉》　雪苇／著

《中国近代史（上编　第一分册）》　武波／编著

《文学百题》　傅东华／编

《中国史学之进化》　周谷城／著

《论民族形式问题》　胡风／著

《论批评》　荃麟等／著

《中国史纲》（第一卷上下、第二卷上下）　翦伯赞／著

《近代中国思想学说史》（1–4）　侯外庐／著

《中国政治思想史》(上下)　吕振羽 / 著

《中国哲学史纲要》　向林冰 / 著

《中国政治史讲话》　钱亦石 / 著

《中国社会经济史纲》　王渔邨 / 著

《新财政学大纲》　千家驹 / 著

《太平天国革命运动论文集——金田起义百周年纪念》

华北大学历史研究室 / 编

《理性与自由——文化思想批评论文集》　胡绳 / 著

《战斗者的诗人》　黄药眠 / 著

《国语文法》　曹朴 / 著

《教育哲学》　张栗原 / 著

《妇女问题讲话》　杜君慧 / 著

《婚姻 · 子女 · 继承》　沙千里 / 著

《性教育新论》　布士克　雅各生合著 / 董秋斯译

《狱中杂感》　杜重远 / 著

《七人之狱》　沙千里 / 著

《爱迪生传》　伍况甫 / 译

《歌德自传》(上下)　歌德著 / 思慕译

《尼赫鲁自传》　[印度] 尼赫鲁著 / 毕来译

《列宁传》　[苏] 凯尔任采夫著 / 企程　朔望译

《罗斯福总统传》　C. Mackenzie 著 / 张尚之译

《托尔斯泰传》(1–3)　[英] 阿尔麦 · 莫德著 / 徐迟译

《革命文豪高尔基》　［美］亚历山大·康恩著 / 韬奋编译

《鲁迅纪念特辑》　新中国文艺社 / 编

《回忆鲁迅先生》　萧红 / 著

《人民文豪鲁迅》　平心 / 著

《亡友鲁迅印象记》　许寿裳 / 著

《鲁迅思想研究》　何干之 / 著

《鲁迅研究》　夏征农 / 编

《过来的时代：鲁迅论及其他》　雪峰 / 著

《电影戏剧表演术》　洪深 / 著

《日常心理漫谈》　［美］约瑟夫·查斯特罗著 / 曾宝葹译

《心理常识漫话》　朱智贤　杨云美 / 著

《读书的方法与经验》　王任叔 / 著

《美国黑人生活纪实》　［美］加德维尔　斯坦倍克著 / 董秋斯译

《初访美国》　费孝通 / 著

《事业与成功》　［美］马尔腾著 / 汪原放译

《萍踪寄语（初集）》　韬奋 / 著

《一生的幸福前途——〈生活周刊〉信箱选集》　生活书店 / 编选

《深刻的印象》　生活周刊社 / 编

《海外的感受》　生活书店编译所 / 编

ISBN 978-7-108-04686-4
9 787108 046864 >
定价：42.00元